العنـف ضـد المـرأة

أسبابه، آثاره، وكيفية علاجه

العنف ضد المرأة

أسبابه، آثاره، وكيفية علاجه

تأليف: د. سهيلة محمود بنات

بسم الـلـه الرحمن الرحيم

العنــف ضـد المــرأة

تأليف: د. سهيلة محمود بنات

الطبعة الأولى

2008

رقم الإيداع لدى المكتبة الوطنية : ر ا.:2007/11/2627

الواصفات : /العنف المنزلي // المرأة // حقوق المرأة//

المشاكل الأجتماعية/.

دار المعتز للنشر والتوزيع

الأردن- عمان -وسط البلد مجمع الفحيص التجاري

هاتف : 96264620990 + فاكس : 4620991 6 962+

ص.ب: 184034 عمان :11118 الأردن

e-mail:daralmoutaz@yahoo.com

الإهـــــداء

إلى كل من يحب أن يعيش هو وأسرته حياة سعيدة...

إلى كل من يطمح أن يرتقي بنفسه ومن حوله نحو العلا...

إلى كل من يمد يد العون لأخيه الإنسان مسهماً في سعادته وراحته...

إلى كل من يحترم إنسانية المرأة وكرامتها...

أهدي كتابي هذا...

بسم الـلـه الرحمن الرحيم

مقَدِّمْة

قال تعالى: "ومن آياته أن خلق لكم من أنفسكم أزواجاً لتسكنوا إليها وجعل بينكم مودة ورحمة إن في ذلك لآيات لقوم يتفكرون." (سورة الروم، آية 21).

لقد شرع الـلـه الزواج وحث عليه لما فيه من فوائد ومكاسب جمة تعود على الفرد والمجتمع. وحتى يكون الزواج ناجحاً، فقد حث الإسلام على أن يكون زواجاً فيه تكافؤ بين الزوجين من الاحية المادية والاجتماعية والعلمية. وبهذا يصبح لدينا أسرة تأسست أساساً سليماً وفق قواعد راسخة تقوم على التكافؤ والقبول بين الطرفين.

كما شجع الدين الإسلامي الحنيف على التعامل بلطف ما بين الزوجين، وحث الزوج على الرفق بزوجته، وقضاء حاجاتها، واحترام إنسانيتها، ومعاشرتها بالمعروف، والتحدث معها بطيب الكلام. قال رسول الـلـه صلى الـلـه عليه وسلم: "أكمل المؤمنين إيماناً أحسنهم خلقاً، وخياركم خياركم لنسائهم." رواه الترمذي. (النووي الدمشقي، 1985).

وهكذا فإننا نرى أن قضية احترام المرأة وتقديرها هي قضية هامة، وتعرض لها الإسلام منذ أكثر من أربعة عشر قرناً من الزمان؛ فهناك الكثيرين ممن يسيئون لزوجاتهم بأشكال مختلفة، قد تكون إساءة لفظية، أو جسدية، أو اجتماعية، ... ويجدون لأنفسهم أعذاراً تبرر هذه الإساءة، وتجعلهم مقتنعين بما يفعلون، معللين ذلك بحقهم في أن تلبي الزوجة متطلباتهم، غير آبهين بحاجاتها ومتطلباتها هي نفسها.

من منا ينكر أن للزوج حقوقاً على زوجته، ومنها احترام رأيه، وكتمان أسراره، وحفظه حاضراً وغائباً، والتعامل معه بلطف، وعونه على مصاعب الحياة وتحمل أعباء الأسرة، والاهتمام به وبحاجاته؟!

إن التزام كل طرف بالمحافظة على حقوق الآخر والعمل بها يسهم في جعل حياتهما أكثر سعادة، ويجعلها أكثر انسجاماً وقدرة على التعامل مع ما يواجههما من صعوبات ومشاكل بطرق أكثر فاعلية، مستخدمين الحوار والنقاش، والتفكير بالمشاكل بهدوء بدلاً من الصراخ والجدال، والذي ينتج عنه عادة الإساءة.

ومع أن تقدم العلم والتكنولوجيا يسّر الكثير من الأمور على الأفراد، إلا أن ضغوط الحياة قد ازدادت، وازدادت معها الأعباء التي تقع على كاهل الفرد. ونحن نعرف أن هناك فروقاً فردية بين الأفراد، فكل واحد يستجيب لما يتعرض له من مواقف وصعوبات بطريقة تختلف عن الآخر. وهنا تظهر لدينا سلوكات إيجابية في التعامل مع الصعوبات والخلافات الأسرية. وأيضاً تظهر سلوكات أخرى سلبية كوسيلة للتعبير عن الغضب أو الانزعاج مما يتعرض له الفرد من ضغوط تقوده لأن يتصرف بعنف، مبتعداً بذلك عن الحكمة، وملحقاً أضراراً مادية ومعنوية بأعز الناس عليه، زوجته وأولاده. وهذا ما دفعني إلى الحديث عن هذا الموضوع، موضحة آثاره وأخطاره على الفرد والأسرة والمجتمع، وملقية الضوء على انتشاره في العالم بأسره، ومؤكدة على ضرورة التعامل مع هذه المشكلة بطريقة تحد من انتشارها، وموضحة أنه لا بد من وضع خطط واستراتيجيات فعالة لمعالجة هذه المشكلة.

أعرض في الفصل الأول تعريف العنف الأسري بشكل عام، ثم العنف ضد المرأة. وكذلك عرض لأشكال العنف ضد المرأة، وانتشاره في العالم بشكل عام. وكذلك إلقاء الضوء على الأسباب التي تدفع الرجل للمارسة العنف ضد زوجته.

أما في الفصل الثاني فأوضح صورة الرجل العنيف، وكذلك صفات المراة المعنفة، موضحة كيف تبدو طبيع كل واحد منهما، ومستعينة بما أوردته الدراسات الحديثة من نتائج تدعم أو تدحض هذه الصفات.

أما الفصل الثالث، فيتحدث عن النظريات التي فسرت العنف، موضحة وجهة نظر المدرسة التحليلية، والسلوكية، والتعلم الاجتماعي، والمعرفية والإنسانية.

وفي الفصل الرابع أتطرق لموضوع بالغ الأهمية، وهو المخاطر والآثار الناجمة عن عنف الزوج؛ حيث تم توضيح كل من المخاطر التي تعود على الزوجة أو الولاد أو الأقارب.

وفي الفصل الخامس هناك توضيح لمشكلة هامة، وهي قرار المرأة بشأن البقاء في العلاقة العنيفة أو تركها، ومناقشة للخطط الآمنة التي يمكن للزوجة المعنفة أن تستخدمها، سواء كان قرارها البقاء في العلاقة الزوجية العنيفة أم ترك هذه العلاقة.

أما الفصل السادس والأخير، فهو عن العلاج؛ أي كيف يمكن التعامل مع مشكلة العنف الموجه من الزوج نحو الزوجة. حيث أعرض الأهداف الأساسية، وكذلك كيفية إرشاد المرأة المعنفة، والتركيز على ضرورة تعليم المرأة المعنفة مهارات تفيدها في حياتها، سواء من خلال الإرشاد الفردي أو الإرشاد الجمعي، مثل مهارات الاتصال، وحل المشكلات، وتأكيد الذات، والعمل على التخفيف من التوتر

والضغط الذي تشعر به، وتنمية إحساسها بالقوة وتحسين تقديرها لذاتها. أيضاً إرشاد الرجل العنيف سواء بشكل فردي أو عمل مجموعات إرشادية. كذلك إرشاد كلا الزوجين معاً من خلال برامج الإرشاد الجمعي.

في النهاية اسمحوا لي أن أعرض هذا الكتاب بين أيديكم. وآمل أن تكون الأهداف المرجوة من وراء تأليفه قد تحققت، وهي الإشارة لخطورة هذه المشكلة، وتسليط الضوء على ضرورة وضع خطط وأساليب للوقاية من حصولها، ومحاولة إيجاد بدائل للعنف تحد من انتشاره، والتأكيد على ضرورة التعامل مع هذه المشكلة بطريقة تسهم في حماية أفراد الأسرة كاملة.

المؤلفـــة

سهيلة محمود بنات/حزيران 2005

الفصل الأول

العنف ضد المرأة

الفصل الأول

العنف ضد المرأة

مقدمة

أعلنت الأمم المتحدة سنة 1970 سنة دولية للمرأة، واعتبرت تلك السنة نقطة تحول في مسيرة المرأة في المجالات الاقتصادية، والسياسية، والتعليمية، والأسرية. وحظي موضوع العنف ضد المرأة اعتباراً من ذلك التاريخ بالكثير من الاهتمام.

وتتعرض المرأة لأشكال مختلفة من العنف تشمل العنف الجسدي واللفظي والاجتماعي والنفسي والصحي. ويعتبر العنف الجسدي من أكثر أشكال العنف وضوحاً، ويكون باستخدام الأيدي أو الأرجل أو أية أداة قد تترك آثاراً على جسد المرأة المعتدى عليها.

ولقد جاء في الدراسات المصرية أن العنف ضد المرأة لا يعني فقط الاعتداء الجسدي أو المعنوي على المرأة، بل يقصد به كافة أشكال السلوك الفردي والجماعي الذي ينال من المرأة ويحط من قدرها، ويكرس تبعيتها، ويحرمها من ممارسة حقوقها المقررة لها في القانون، ويحجبها عن المشاركة، ويمنعها من ممارسة كينونتها بشكل طبيعي وحقيقي (العواودة، 1988).

وينتشر العنف ضد المرأة بشكل واسع في أنحاء العالم، ولا يقتصر وجوده على دولة أو شعب معين. وجد كونلي وآخرون (2000) **Connelly, *et al.***،

أن النساء في أمريكا يتعرضن للعنف بشكل كبير؛ حيث تتعرض (2-4) مليون امرأة سنوياً للعنف. ولا يعتبر الحمل واقياً للنساء من الإساءة؛ فقد تبين في أحد المسوح أن (17%) من النساء اللواتي يراجعن العيادات قد تعرضن للإساءة الجسدية أو النفسية خلال فترة الحمل. ويذكر عزام (2000) أن (95%) من ضحايا العنف في فرنسا من النساء، وأن (51%) منهن ضحايا العنف من قبل أزواجهن، وفي كندا فإن (60%) من الرجال يمارسون العنف ضد زوجاتهم. وفي الهند تتعرض حوالي (80%) من النساء للعنف بأنواعه المختلفة من مصادر مختلفة، ومن الأزواج بشكل رئيس.

وتذكر ماتلين **Matlin (2000)** أن معدلات الإساءة في المجتمعات الأوروبية مشابهة لما هو موجود في شمال أمريكا. كما تكشف البيانات من آسيا وأمريكا اللاتينية وإفريقيا عن معدلات مرتفعة من الإساءة؛ حيث أن أكثر من نصف النساء البالغات ذكرن أنهن تعرضن للإساءة الجسدية من قبل شركائهن.

لا تقتصر مشكلة العنف ضد المرأة على المجتمعات الغربية فقط، وإنما تظهر بشكل واضح في المجتمعات العربية؛ فقد وجدت حمدان (1996) أن نسبة النساء اللواتي يتعرضن للإيذاء الجسدي في مدينة طولكرم هي (35.9%) من حجم عينتها البالغ عددها (421) أسرة.

كما وجدت عبد الوهاب (1994) أن المرأة المصرية تتعرض لأشكال مختلفة من العنف الجسدي مثل: الحرق، والطعن بالسكين، والقتل بالرصاص، والذبح، ودس السم، والضرب المبرح الذي يحدث عاهة أو تشويهاً في الوجه، والدهس بجرار زراعي، والخطف والتعذيب.

أما عن العنف ضد المرأة في الأردن، فقد وجدت العواودة (1998) أن النساء المتزوجات في عينتها، والبالغ عددهن (300) امرأة، يتعرضن لأشكال مختلفة من العنف اللفظي والجسدي والاجتماعي والجنسي والصحي. وكذلك أظهرت النتائج أن العنف ضد المرأة موجه نحو المرأة في مختلف البيئات الحضرية، والريفية، والبدوية، والمخيمات.

وقد أكدت دراسة مؤتمر المكتب التنسيقي الأردني لشؤون مؤتمر بكين حول أشكال العنف ضد المرأة في كل من مصر واليمن والأردن ولبنان وسوريا وفلسطين، أن المرأة تتعرض لأشكال مختلفة من العنف، وبنسب متفاوتة، لها ارتباط بالمشكلات التي تعاني منها هذه المجتمعات، مثل الحروب والنزاعات والأزمات. وبما أن المرأة العربية جزء من هذه المجتمعات، فهي تعاني مما تعانيه هذه المجتمعات من مشكلات. ويشكل العنف ضد المرأة الصادر عن الرجل، زوجاً كان أو أباً أو أخاً، أحد أشكال العنف، وأبرز الأسباب لهذا العنف هو طبيعة الرجل وشخصيته (عزام، 2000).

وينتشر العنف ضد الزوجة في العائلات ذات المستوى الاقتصادي والاجتماعي المتدني أكثر من غيرها، حيث ينتشر العنف ضد الزوجة والأطفال بمعدلات عالية في الأسر ذات المستوى الاقتصادي تحت خط الفقر (Gelles, 1985).

لقد وجد هولتزوورث - مونرو وآخرون **Holtzworth-Munroe, *et al.* (1997)** في مراجعتهم للعوامل الديموغرافية المرتبطة بالعنف، أن هناك علاقة ارتباط سلبية بين الوضع الاقتصادي المرتفع والعنف ضد المرأة ، فطبقة العاملين أكثر ميلاً لممارسة العنف مقارنة بمن هم من الطبقات العليا. ويرى جلز

Gelles (1985) بأن هناك معدلات مرتفعة من العنف في الأسر التي يعمل فيها الوالد بشكل جزئي أو العاطل عن العمل، أكثر من تلك الأسر التي يعمل فيها الوالد بشكل تام أو وقت أطول. ولكن هذا لا يعني أن جميع الرجال الفقراء يسيئون لزوجاتهم، كما يعني أن الإساءة يمكن أن تحدث في العائلات ذات المستوى الاقتصادي والاجتماعي المرتفع أو الجيد أيضاً.

ومن العوامل الأخرى المرتبطة بالعنف عامل العمر، فالأزواج في العشرينيات وأوائل الثلاثينيات يمارسون العنف الجسدي ضد زوجاتهم ضعفي الأزواج الأكبر عمراً، حيث أن الشباب يتصفون بالغيرة والشك في الشريك، كما أنهم أسرع انفعالاً وغضباً (Davies, 1998; Holtzworth-Munroe, *et al*, 1997).

كذلك يلعب العرق دوراً في انتشار العنف ضد الزوجة. وقد أظهر أحد البحوث أن هناك فروقاً في درجات العنف ضد الزوجة بين المجموعات العرقية المختلفة، فالأمريكان الكوبيون مثلاً ليسوا عنيفين، بينما يمارس الرجال البورتوريكيون سلوكات عنف ضد زوجاتهم بنسب عالية (Holtzworth-Munroe, *et al.*, 1997).

ويرى جلز Gelles (1985) أن العائلات التي يمارس فيها العنف ضد الزوجة والأولاد في أمريكا تتصف بالعزلة الاجتماعية إلى حد ما، حيث أن العلاقات ما بين العائلة التي يحصل فيها العنف والعائلات الأخرى أو الجيران قليلة، ولا تستمر فترة بقاء العائلة في المكان أو المسكن نفسه مع الجيران ذاتهم لفترة زمنية طويلة؛ حيث أن بقاءها في حي ما لا يستمر لأكثر من عامين.

تلعب الثقافة الفرعية دوراً في حدوث العنف ضد المرأة؛ فالثقافة التي ترى أن الرجل أفضل من المرأة، وتمنحه الحق في الرأي والسلطة، هي ثقافة تؤيد ممارسة الإساءة نحو المرأة باعتبار ذلك ضرباً من الرجولة. وفي بعض البلدان العربية، قد يشعر الرجل بالخجل إذا عرف عنه أن زوجته لا تخشاه، وينعت بالمحكوم أو الضعيف (عزام، 2000). ويرى دعاة المساواة بين الجنسين أن الرجال يسيئون للزوجات بقصد إظهار القوة أو الهيمنة، واستغلال القوة البدنية لفرض السيطرة على المرأة (عبد الرحمن، 1999).

كما تلعب وسائل الإعلام دوراً كبيراً في تشجيع عنف الرجل نحو المرأة، من خلال عرض أفلام تصور قدرة الرجل على ضرب وإيذاء زوجته، وتظهره دائماً بمظهر القوة، وتقرن القوة بالقدرة على الإساءة، وأن الرجل القوي هو الأفضل، وهذا يساهم في تعلم العنف، حيث يقوم الناس بتقليد ما يرون **(Matlin, 2000)**.

ويذكر كورلاند **Kurland (1986)** أن عنف الزوج نحو زوجته يظهر في حالة كون المرأة متميزة في عملها أو مستواها التعليمي على الزوج، مما يدفعه لإيذائها، كنوع من إشعارها بأنه أقوى منها؛ لأن الزوجة المتعلمة لا تتوانى عن إبداء رأيها ومناقشة زوجها في أمور حياتهما، وهو ما قد لا يروق له مما يؤدي للخلاف، ومن ثم حصول العنف.

ويظهر العنف بين الأزواج الذين يتصلون بشكل غير فعال؛ حيث يؤدي ذلك للمعاناة الزواجية. مثل هؤلاء الأزواج يكونون غير قادرين على إدارة الصراع والاتصال بشكل فعال، ويفشلون في الاستماع لبعضهم بعضاً، ولا يميلون لاقتراح حلول ممكنة للمشكلات التي تواجههم، فقد يميل الزوج للانسحاب من المكان، وهنا

تبقى المشكلة معلقة، أوقد يميل للتعامل مع المشكلات أو الصراعات الزوجية باستخدام الضرب أو العنف (**Halford, *et al.*, 1997**).

وسنتناول في هذا الفصل تعريف العنف ضد المرأة، وأشكال العنف، وانتشاره، وأسبابه، وأهم المتغيرات المرتبطة به.

العنف الأسري Family Violence

يرى براون وهربرت **Browne & Herbert (1997)** العنف على أنه سلوك مدفوع بالغضب ويشمل استعمال القوة الجسدية نحو الطرف الآخر.

وتعرف جارسيا **Garcia (1997)** العنف الأسري على أنه عنف أو سلوك مقصود من قبل شخص، كان أو ما زال على علاقة حميمة مع الضحية. ويتضمن هذا العنف إساءة جسدية أو عاطفية أو جنسية أو اقتصادية.

ويعرف حلمي (2000) العنف الأسري على أنه أحد أنماط السلوك العدواني، الذي ينتج عن وجود علاقة قوة غير متكافئة في إطار نظام تقسيم العمل بين الرجل والمرأة داخل الأسرة، مما يترتب عليه تحديد أدوار ومكانة كل فرد من أفراد الأسرة. ويأخذ العنف ضد الزوجة أشكالاً متعددة منها: العنف الجسدي، والعنف الاقتصادي، والعنف النفسي، والعنف الجنسي.

ويعرف التير (1996) العنف الأسري على أنه أنماط سلوكية تصنف ضمن أفعال العنف، وهي أفعال يرتكبها الأقوياء في الأسرة، ويذهب ضحيتها الضعفاء وخاصة الأطفال الإناث منهم، وقد جاءت هذه التسمية لأنه يحدث في محيط الأسرة أو العائلة.

ويرى نيكريهم وتيسكي **Knickrehem and Teske (2000)**. أن العنف الأسري هو استعمال القوة، أو التهديد بالقوة من قبل الزوج، بهدف إجبار أو تخويف المرأة للخضوع له، ويكون العنف على شكل الضرب، أو الدفع، أو الركل، ،أو اللكم، أو الصفع أو الحرق.

وهكذا يمكن تعريف العنف الأسري أنه: سلوك أو فعل عدائي متعمد يقصد به إلحاق الأذى والضرر الجسدي أو النفسي، موجه نحو فرد أو أكثر من أفراد الأسرة، وعادة ما يكون موجهاً من الأفراد الأكثر قوة نحو الأفراد الأقل قوة في الأسرة، ويمثلون عادة فئة الأطفال والإناث.

ويشمل العنف الأسري العنف ضد الزوج والزوجة وضد الأطفال وكبار السن، وأي فرد من أفراد الأسـرة. وسيكون التركيز هنا على العنف ضد المرأة.

العنف ضد المرأة

تعرف التل وآخرون (1996) العنف ضد المرأة على أنه: أي عمل أو تصرف عدائي أو مؤذٍ أو مهين، يرتكب بأية وسيلة، وبحق أية امرأة لكونها امرأة، ويخلق لها معاناة جسدية، أو نفسية، أو جنسية بطريقة مباشرة أو غير مباشرة ومن خلال الخداع، أو التهديد، أو التحرش، أو الإكراه، أو العقاب، أو إجبارها على البغاء، أو إنكار أو إهانة كرامتها الإنسانية أو سلامتها الأخلاقية، أو التقليل من شأنها أو احترامها لذاتها، أو الانتقاص من إمكاناتها الذهنية والجسدية. ويتراوح ما بين الإهانة بالكلام وحتى القتل.

وتذكر ماتلين **Matlin (2000)** أن العنف ضد المرأة يتضمن سلوكات مقصودة، تؤدي إلى إلحاق الأذى بالمرأة، وهذه السلوكات قد تكون نفسية، أو جسدية، أو جنسية.

وتشير عبد الوهاب (1994) إلى أن العنف ضد المرأة هو ذلك السلوك أو الفعل الموجه إلى المرأة على وجه الخصوص، سواء كانت زوجة، أو أماً، أو أختاً، أو ابنة، ويتميز بدرجات متفاوتة من التمييز والاضطهاد والقهر والعدوانية، الناجم عن علاقات القوة غير المتكافئة بين الرجل والمرأة.

وفي تعريف صادر عن منهاج عمل بكين (1994) المشار إليه في العواودة (1998) فإن العنف ضد المرأة هو: أي عمل من أعمال العنف القائم على نوع الجنس يترتب عليه أو من المحتمل أن يترتب عليه، أذى بدني، أو جنسي، أو نفسي،

أو معاناة للمرأة، بما في ذلك التهديد بالقيام بأعمال من هذا القبيل، أو الإكراه، أو الحرمان التعسفي من الحرية، سواء حدث ذلك في الحياة العامة أو الخاصة.

طبقاً لوصف الإصدار الرابع من الدليل التشخيصي والإحصائي للأمراض العقلية (D.S.M.I.V.) (1994) فإن الإساءة لشريك الحياة تشير إلى: تصرفات تدل على العدوان الجسدي مثل الصفع والدفع والركل تحدث لمرة واحدة على الأقل في السنة. كما تشير أيضاً إلى عدوان بدني ينتج عنه أذى يتطلب الاهتمام والرعاية الطبية. ويشير أخيراً إلى عدوان بدني يتضمن تهديداً أو شعوراً بالرعب أو الخوف، كأن تكون المرأة الضحية خائفة على الدوام من المعتدي.

وهكذا فإن العنف ضد المرأة هو: أي سلوك عدائي موجه نحو المرأة بقصد إلحاق الأذى والضرر الجسمي أو النفسي أو المادي أو الاجتماعي أو الصحي أو اللفظي، وأخص بالذكر هنا العنف الموجه من الزوج ضد الزوجة.

أشكال العنف ضد المرأة: -

إن المرأة تتعرض لأشكال مختلفة من العنف (Hage, 2000)، ومن هذه الأشكال: -

1. **العنف الجسدي**. ويعنى استخدام القوة الجسدية نحو الزوجة، وهو من أكثر أشكال العنف وضوحاً، ويتم باستخدام الأيدي، أو الأرجل، أو أية أداة من شأنها ترك آثار واضحة على جسد المعتدى عليها، مثل السكين أو أية أداة ساخنة. ويكون العنف الجسدي على شكل الضرب، أو الركل، أو العض، أو الصفع، أو

الدفع، أو اللكم، أو الحرق، أو شد الشعر، أو الطرح أرضاً، أو الخنق، أو التهديد بالأسلحة أو القتل **Matlin, 2000**؛ العامري، 1988؛ **(Davies, 1998) (Walker, 2002)**. وتمر عملية الضرب قبل وقوعها بمراحل، حيث يحصل جدال بين الزوجين، يمتد ويتحول إلى صراع، ثم إلى شتم، ويتطور إلى الضرب **(Matlin, 2000)**. ففي المناقشة بين الزوجين، يفشل الزوجان في الإصغاء لبعضهما بعضاً ويلوم كل منهما الآخر، وينتقد الواحد منهما الآخر، وهذا ما يميز العلاقات الزواجية المضطربة التي يسود فيها العنف، مؤدياً إلى نتائج جسدية ونفسية خطيرة خاصة للنساء.

2. **العنف اللفظي**. يعد العنف اللفظي من أشد أنواع العنف خطراً على الصحة النفسية للزوجة، رغم أنه لا يترك آثاراً واضحة. وهو أكثر أنواع العنف شيوعاً في المجتمعات الغنية والفقيرة (العواودة، 1998). ويكون العنف اللفظي على شكل شتم الزوج لزوجته وإحراجها أمام الآخرين، ونعتها بألفاظ بذيئة، وعدم إبداء الاحترام والتقدير لها، وإهمالها وإبداء الإعجاب بالأخريات في حضورها وتحقيرها والسخرية منها والصراخ عليها (محارمة وآخرون ، 2002؛ **Holtzworth-Munroe *et al.*, 1997**). ويعتبر العنف اللفظي هداماً بشكل كبير، خاصة لصورة الذات لدى الزوجة. وقد تكون الإساءة اللفظية غير واضحة فتكون الكلمات بحاجة لمهارة وبراعة ليتم فهمها، والمرأة لا تملك القدرة لمعرفة القصد من وراء الكلمات، وهذا ما يجعل الزوجات لا يدركن أنهن يتعرضن للعنف اللفظي **(Davies, 1998; Mcchristie, 2003)**.

3. **العنف النفسي**. إن العنف النفسي مقترن بالعنف الجسدي، فالمرأة التي تتعرض للعنف الجسدي تصاب بمعاناة نفسية. فقد وجد فولينجستاد وآخرون **Follingstad, *et al.*** الوارد في **Davies (1998)** قاموا بدراسة على النساء في الملاجئ معامل ارتباط يصل إلى (0.86) بين مقياس الإساءة الجسدية والإساءة النفسية. ويستعمل الأزواج وسائل عديدة لجعل الزوجة تمر بمعاناة نفسية، منها إضعاف ثقة الزوجة بنفسها من خلال التشكيك بسلامة عقلها وذكائها، والتقليل من قدراتها وأفكارها وأدائها.

ويستخدم الزوج اعتبارات الصحة العقلية لضبط شريكته أكثر، فقد يخبر زوجته أنها مجنونة وزوجة سيئة. ومن المخاطر النفسية التي تواجهها الزوجات عندما يتعرضن لعنف الأزواج، والتي تعتبر نتائج مباشرة للعنف الجسدي: الخوف، ونقص السيطرة على الأحداث، والاكتئاب، وعدم القدرة على التنبؤ بسلوك الزوج، والضغط، واليأس، والقلق، وتدني تقدير الذات، وإساءة استعمال المواد أو الإدمان على الكحول **(Davies, 1998)**.

ويعتبر التهديد، سواء تهديد الزوجة بالطلاق، أو بأنه سيترك البلد هو والأطفال، من الأمور التي تسبب المعاناة النفسية للزوجة **(Holtzworth-Munrue, *et al.*, 1997)**. كما وجدت الأبحاث علاقة بين تكرار وشدة الإساءة والمعاناة النفسية، فقد وجد هوسكامب و فوي **Houskamp & Foy (1991)** في دراسة مشار إليها في **Davies (1998)** أن (60%) من النساء اللواتي اختبرن مستوى عالٍ من التهديد لحياتهن، ظهرت عليهن أعراض ضغط ما بعد الصدمة، مقارنة بـ (14%) فقط ممن تعرضن للتهديد لحياتهن بشكل منخفض.

4. **العنف الاجتماعي.** ويعني حرمان الزوجة من ممارسة حقوقها الاجتماعية والشخصية، وانصياعها لمتطلبات الزوج الفكرية والعاطفية، ومحاولة الحد من انخراطها في المجتمع وممارسة أدوارها، مما يؤثر في استقرارها الانفعالي، ومكانتها الاجتماعية. وتشير دراسات العنف ضد الزوجة إلى أن الزوج يحاول حرمان زوجته من النمو والتقدم، بسيطرته وعنفه. ويظهر العنف الاجتماعي على شكل حرمان الزوجة من العمل أومتابعة التعليم، وحرمانها من زيارة أهلها وأصدقائها وأقاربها، والتدخل في علاقاتها الشخصية، والتدخل في اختيارها للأصدقاء، وعلاقاتها بالجيران، وحرمانها من إبداء الرأي، وعدم أخذ رأيها في قرارات الأسرة والتدخل في طريقة لباسها. كل ذلك من أجل الحد من نشاطاتها وعملها وإبقائها ضمن محيط البيت الذي يشكل مصدر الخطر الحقيقي عليها (العواودة، 1998).

5. **العنف الصحي.** ويقصد به حرمان الزوجة من الظروف الصحية المناسبة لها، وعدم مراعاة الصحة الإنجابية لها، التي تعني قدرة الزوجة على الحمل والإنجاب دون التعرض للأخطار المصاحبة لتقارب الأحمال، عن طريق المراجعات الطبية وأخذ المطاعيم الضرورية، والتغذية الجيدة للزوجة الحامل، والمباعدة بين الأحمال (العواودة، 1998).

ويظهر العنف الصحي على شكل عدم سماح الزوج لزوجته بزيارة الطبيب أثناء الحمل وبعده، ومنعها من تحديد عدد مرات الحمل بناء على وضعها الصحي، وعدم السماح لها باستخدام وسائل منع الحمل، وإجبارها على الحمل المتتالي، وحرمانها من الغذاء اللازم لصحتها وصحة الوليد وضربها وهي حامل (تقرير المؤتمر العالمي الرابع المعني بالمرأة، 1995).

6. **العنف الجنسي**. ويكون عنف الزوج الجنسي ضد زوجته بإجبارها على المعاشرة الجنسية، دون مراعاة الوضع النفسي أو الصحي لها، ولجوء الزوج إلى استخدام قوته وسلطته لممارسة الجنس مع زوجته. ومن أشكال العنف الجنسي أيضاً، سوء معاملة الزوجة جنسياً، وعدم مراعاة رغبتها الجنسية، واستخدام الطرائق والأساليب المنحرفة الخارجة على قواعد الخلق في اتصاله الجنسي بزوجته، وذم أسلوبها الجنسي، لإذلالها وتحقير شأنها، ولومها على عجزه أو تدني قدراته الجنسية (العواودة، 1998).

وقد يظهر العنف الجنسي على شكل المعاشرة السيئة للزوجة، أو المعاشرة غير الشرعية، أو الهجر. وقد تعود معاشرة الزوج السيئة أو غير الشرعية لزوجته إلى نقص الوازع الديني لدى الزوج، أو لتأثره بالأفلام الجنسية، أو فقدانه وعيه بسبب شرب الكحول. أما بالنسبة للهجر، فربما يعتبرها الزوج طريقة لتعذيب الزوجة وتأديبها (محارمة وآخرون، 2002).

إن حديثنا هذا يذكرنا بما حث عليه الله عز وجل من ضرورة معاشرة الزوجة معاشرة حسنة، وهذا ما جاء في الآية الكريمة: "وعاشروهن بالمعروف فإن كرهتموهن فعسى أن تكرهوا شيئاً ويجعل الله فيه خيراً كثيرا." (سورة النساء، آية 19).

7. **العنف المادي أو الاقتصادي**. قد تتعرض الزوجة لشكل آخر من أشكال العنف، ألا وهو العنف المادي أو الاقتصادي، وهي طريقة أخرى من طرق إساءة الزوج لزوجته واستغلال سلطته ورجولته. ويتمثل ذلك بالبخل وحرمان الزوجة من المصروف، وذلك لإذلالها وزيادة شعورها بأنها لا تستطيع العيش دونه، خاصة إذا لم تكن الزوجة تعمل. وفي حالة عمل الزوجة، قد يلجأ الزوج لأشكال

أخرى من العنف المادي تتمثل بأن يحرمها من راتبها، أو يتحكم هو بطريقة صرفه. وقد تختلف الأسباب التي تقف وراء سلوك الزوج بهذه الطريقة، مثلا قد يعود ذلك إلى: -

الفقر وضيق الحالة المادية بالنسبة للزوج.

تسلط الزوج ورغبته في السيطرة على الأسرة من خلال التحكم بمواردها المالية، وهذا قد يعود إلى عوامل ثقافية تعيب على الزوج الذي لا يسيطر على كل الموارد المالية لأسرته.

البطالة وبقاء الزوج دون عمل، مما يضطره لأن يتحكم براتب زوجته.

تحريض أهل الزوج، ومن أمه خاصة (محارمة وآخرون، 2002).

انتشار العنف ضد المرأة

ينتشر العنف ضد المرأة في أنحاء واسعة من العالم وهذا ما أكدته الدراسات المختلفة. وسنبدأ الحديث هنا عن انتشار العنف في مجتمعنا الأردني؛ فقد قام العسال (2003) بدراسة حول العنف ضد المرأة وأثره على الإساءة للطفل، وذلك للتعرف على ردود فعل الأمهات المعنفات المتعلقة بالإساءة إلى أطفالهن من النواحي الجسدية، والنفسية، والإهمال، وذلك بسبب تعرضهن للعنف من قبل أزواجهن داخل الأسرة الأردنية. وقد استخدم الباحث استبانة لجمع المعلومات موجهة للأمهات المعنفات وأطفالهن. وقد اشتمل مجتمع الدراسة جميع الأمهات المعنفات المراجعات لاتحاد المرأة الأردنية (برنامج الإرشاد القانوني والاجتماعي والنفسي)

خلال عام 2001، والبالغ عددهن (995) أماً معنفة، وتم أخذ عينة عشوائية منتظمة من مجتمع الدراسة بنسبة 10%، أي (100) حالة.

أشارت النتائج إلى تعرض الأطفال إلى الإساءة الجسدية والنفسية والإهمال من وجهة نظر الأطفال. أما من وجهة نظر الأمهات فأشارت إلى عدم تعرض الأطفال للإساءة النفسية والإهمال. ودلت نتائج الدراسة على أنه لا توجد فروق ذات دلالة إحصائية في تعرض الأطفال للعنف الجسدي والإهمال تعزى لمتغيرات عمر الأم الحالي، والدخل الخاص بها، والجنسية، ودرجة القرابة مع الزوج. بينما وجدت فروق ذات دلالة إحصائية في تعرض الأطفال للإساءة الجسدية من وجهة نظرهم تعزى لمتغيرات عمر الأم عند الزواج، والمستوى التعليمي لها. أما من وجهة نظر الأمهات المرتبطة بمتغيرات عمر الأم الحالي، ومهنة الأم، والدخل الخاص بها، والجنسية، ودرجة القرابة مع الزوج، وعمر الأم عند الزواج، والمستوى التعليمي. أشارت النتائج إلى عدم وجود فروق ذات دلالة إحصائية في مستوى الإساءة الجسدية، والنفسية، والإهمال، الواقعة على أطفال الأمهات المعنفات عائدة لدرجة العنف الواقع عليهن.

وفي دراسة حول المفاهيم الخاصة بالعنف الأسري والإساءة كما تراها شرائح المجتمع الأردني صادرة عن معهد الملكة زين الشرف التنموي قام محارمة وآخرون (2002)، باستخدام منهجية البحث النوعي لدراسة معمقة لمفهوم العنف الأسري والإساءة عند كافة شرائح المجتمع الأردني، مستخدمين مقابلات مفتوحة مع أفراد ضمن مجموعات، تراوحت أعدادهم ما بين خمسة وثمانية في كل مجموعة. وقد غطت هذه المقابلات شرائح المجتمع المختلفة، مع مراعاة متغيرات الجنس، ومستوى

التعليم، ومكان السكن، والعمر. ولذلك تم إجراء مقابلات قصيرة نسبياً مع مجموعات متجانسة، وأخرى غير متجانسة.

أشارت نتائج الدراسة إلى وجود أربعين شكلاً مختلفاً من الممارسات التي اعتبرها المقابلون أشكالاً للعنف الأسري والإساءة. وقد أمكن تصنيفها ضمن سبع فئات هي: العنف الجسدي، والعنف اللفظي، وتقييد الحريات، والإساءة الاقتصادية، والإساءة الجنسية، والعنف المادي، وأخرى. كما أشارت نتائج الدراسة أيضاً إلى وجود ضحايا رئيسين لحالات العنف الأسري والإساءة الأسرية، ومتسببين أساسيين فيها. فقد دلت نتائج الدراسة وبشكل واضح على اعتقاد الأفراد الذين تمت مقابلتهم بأن الضحايا الأساسيين هم من الإناث (الزوجة، والابنة، والأخت، والأم، وأم الزوج)، ثم الأطفال من الجنسين. في المقابل أظهرت النتائج أن الذكور هم المتسببون أو المعتدون في حالات العنف الأسري والإساءة، خاصة الزوج والأخ.

وأظهرت الدراسة وجود فروقات بين الأفراد من الجنسين فيما يعتبر ممارسات عنيفة أو مسيئة. وأظهرت فروقاً اعتماداً على أعمار المقابلين، ومستوى تعليمهم، وأماكن سكنهم. وكذلك أظهرت نتائج الدراسة إدراكات المقابلين لعدد من الأسباب العامة المسؤولة عن حالات العنف الأسري والإساءة، صنفت ضمن أربع فئات هي: الأسباب الاقتصادية، والأسباب الاجتماعية، وحجم الأسرة، والمفاهيم الخاطئة المتعلقة بالحقوق والواجبات.

وقامت العواودة (1998) بإجراء دراسة حول العنف ضد المرأة في الأردن على عينة مؤلفة من (300) امرأة من محافظة العاصمة بقطاعاتها الاجتماعية الأربعة: البدوي، والريفي، والمخيمات، والحضري، بواقع (75) امرأة لكل قطاع.

حيث درست منطقة الموقر لتمثل القطاع البدوي، ومنطقة سحاب لتمثل القطاع الريفي، ومخيم الحسين ليمثل قطاع المخيمات، ومدينة عمان لتمثل القطاع الحضري. وقد أظهرت نتائج الدراسة أن العنف ضد المرأة في الأردن منتشر في كافة القطاعات الاجتماعية، وأن العنف الجسدي هو أحد أكثر أشكال العنف ضد المرأة وضوحاً في الأردن. كما بينت أن الصفع، وهو أحد أشكال العنف الجسدي، منتشر بشكل كبير وبنسبة تصل إلى (62.3%) بين نساء عينة الدراسة. كما بلغت نسبة انتشار العنف الاجتماعي (56%) بين أفراد العينة نفسها. ويعتبر حرمان المرأة من الخروج للعمل هو أكثر أشكال العنف الاجتماعي شيوعاً؛ إذ بلغت نسبة وجوده (56.8%)

هذا وبلغت نسبة شيوع العنف اللفظي بين أفراد عينة الدراسة (53%). أما العنف الصحي ويقصد به حرمان المرأة من الظروف الصحية المناسبة، وعدم مراعاة الصحة الإنجابية لها التي تعني قدرة المرأة على الحمل والإنجاب دون التعرض للأمراض النسائية، عن طريق المراجعات الطبية، وأخذ المطاعيم الضرورية، والتغذية الجيدة للمرأة الحامل، والمباعدة بين الأحمال، وهو منتشر وبنسبة (51%)، ومن أكثر أشكاله شيوعاً حرمان المرأة من تحديد عدد الأطفال الذي تريده، ويشكل ما نسبته (22.8%) من الحالات. وينتشر العنف الجنسي بين أفراد العينة البالغ عددها (300) امرأة بنسبة تبلغ (48%).

وفي دراسة استطلاعية عن العنف العائلي في الأردن، حجمه ومسبباته، قامت العامري بدراسة على (65) طالباً وطالبة في الجامعة الأردنية، حيث طلبت إليهم أن يذكروا لها فيما إذا كان هناك عنف يمارس داخل عائلاتهم. وخلصت دراستها إلى أن (86%) من الطلاب أجابوا بوجود عنف داخل عائلاتهم، وأن أكثر

أنواع العنف شيوعاً هو الإرهاب ونسبته (75%)، ثم الإيذاء النفسي ونسبته (40%)، أما الضرب فيحدث في (33%) من العائلات التي يوجد بها عنف.

وبالنسبة للأرقام الصادرة عن إدارة حماية الأسرة عن الفترة ما بين عامي (1998-2002)، فإن هناك تزايداً في أعداد حالات العنف الزواجي المسجلة ضد المرأة وحالات الإساءة للأطفال، حيث بلغ عدد القضايا التي تعاملت معها إدارة حماية الأسرة عام 1998 (295) حالة، ارتفعت عام 2001 إلى (564) حالة، وعام 2002 (661) حالة من مختلف أنواع العنف الأسري والإساءات الواقعة على الأطفال (بنات، 2004).

وقد أكدت دراسة المكتب التنسيقي الأردني لشؤون مؤتمر بكين حول أشكال العنف ضد المرأة، في كل من مصر واليمن والأردن ولبنان وسوريا وفلسطين، أن المرأة تتعرض لأشكال مختلفة من العنف وبنسب متفاوتة لها ارتباط بالمشكلات التي تعاني منها هذه المجتمعات مثل الحروب والنزاعات والأزمات. وبما أن المرأة العربية جزء من هذه المجتمعات فهي تعاني مما تعانيه هذه المجتمعات من مشكلات. ويشكل العنف ضد المرأة الصادر عن الرجل زوجاً كان، أم أباً، أم أخاً أحد أشكال العنف. وأبرز الأسباب وراء هذا العنف، هو طبيعة الرجل الشخصية المباشرة (عزام، 2000).

أما عن انتشار العنف ضد المرأة في الدول العربية قامت حمدان (1996) بدراسة حول إيذاء الإناث في الأسرة الفلسطينية، أسبابها، ومصادرها، وردود فعل الأناث تجاهها في مدينة طولكرم، حيث استخدمت منهج المسح الاجتماعي، وقامت بجمع البيانات من خلال استبانة معدة لهذا الغرض، وبإجراء مقابلات مع أفراد عينة

الدراسة والبالغ عددها (421) أسرة، توزعت على النحو التالي: (122) أسرة من المدن، و(42) أسرة من المخيمات، و(257) أسرة من القرى.

وقد أشارت النتائج إلى أن الإناث في مدينة طولكرم يتعرضن للإيذاء بأنواعه كافة؛ حيث شكل الإيذاء الاجتماعي أعلى نسبة بين أنواع الإيذاء الأخرى الذي تتعرض له الإناث، حيث بلغت نسبته (90.3%)، ثم الإيذاء النفسي الذي بلغت نسبته (88.4%)، ثم الإيذاء التعليمي حيث بلغت نسبته (59.9%)، ثم الإيذاء الجنسي وبلغت نسبته (59.4%)، فالإيذاء الاقتصادي وبلغت نسبته (55.1%)، ثم التهديد وبلغت نسبته (37.3%)، وأقلها كان الإيذاء الجسدي الذي بلغت نسبته (35.9%). وقد تعددت مصادر الإيذاء الذي تتعرض له الإناث في هذا المجتمع بحسب نوع الإيذاء وشكله. وقد شكل الزوج أعلى نسبة بوصفه مصدراً للإيذاء بأنواعه كافة باستثناء الإيذاء التعليمي.

وفي دراسة قام بها يحيى الواردة في حمدان (1996) حول العنف ضد المرأة في منطقة الجليل والمثلث والنقب، حيث شملت عينة الدراسة (434) امرأة. أشارت النتائج إلى أن (94%) من الزوجات يسيء إليهن أزواجهن لفظياً، وعاطفياً، ونفسياً، واجتماعياً مرة واحدة في السنة على الأقل، وأن (30%) من النساء يسيء إليهن أزواجهن بتلك الأنماط من الإساءة مرة في الشهر على الأقل.

كما تظهر النتائج أن ما يقارب (39%) من النساء يتعرضن للضرب والإيذاء الجسدي من قبل أزواجهن مرة واحدة في السنة على الأقل، و(5%) من النساء يتعرضن للضرب والإيذاء الجسدي من قبل أزواجهن مرة واحدة في الشهر على الأقل.

كما تبين أن (66%) من الشـباب يسـيئون لخطيباتهم نفسياً، ولفظياً، وعاطفياً، واجتماعياً مرة واحدة على الأقل خلال فترة الخطوبة. كما صرح (13%) من الشباب أنهم ضربوا خطيباتهم ومارسوا عليهن جميع أشكال الإيذاء الجسدي مرة واحدة على الأقل خلال فترة الخطوبة.

أما عن العنف ضد المرأة في مصر فقد قامت عبد الوهاب (1994) بدراسة حول العنف الأسري في المجتمع المصري، معتمدة في جمعها للمعلومات على القضايا المعروضة على المحاكم أو المنشورة في الصحف، إضافة لعينة بلغت (224) امرأة ممن تعرضن للعنف. وقد أظهرت النتائج أن المرأة المصرية تتعرض لأشكال مختلفة من العنف الجسدي مثل الحرق، والقتل بالرصاص، والطعن بالسكين، والذبح، ودس السم، والضرب المبرح الذي يحدث عاهة أو تشويهاً في الوجه، والدهس بجرار زراعي، والخطف، والتعذيب، والدفع. وأشارت إلى أن السبب الأهم وراء تعرض النساء للعنف هو سبب اقتصادي؛ إذ يشكل ما نسبته (45.6%)، وأن الأسباب الاجتماعية بلغت (35.4%)، إضافة إلى الأسباب الثقافية. أما أعلى فئة عمرية تتعرض فيها المرأة للعنف، فقد كانت الفئـة العمـرية من (15-24) سـنة وبنسـبة (30%)، وأقل فئة عمرية هي الفئة من عمر (45-55) سنة، إذ بلغت (5.4%).

وتنتشر الإساءة للمرأة بشكل واسع في العالم؛ فقد وجد نيكريهم وتيسكي **(2000)** **Knickrehem and Teske** من خلال مسح قاما به للجرائم في أمريكا عام 1994، أن النساء هن ضحايا للعنف الأسري بنسبة تفوق ثلاثة أضعاف

الرجال، وأن (91%) من ضحايا جرائم عنف الزواج من النساء كانت على أيدي أزواجهن أو مطلقيهن أو أصدقائهن.

وتذكر حمدان (1996) دراسة لجوانا بانكر (Joanna Banker) (1979) حول نفسية النساء المضروبات في أمريكا عام (1979). وقد أظهرت نتائجها أن (1.5) مليون امرأة تتعرض للعنف من قبل زوجها، وأن المرأة أصبحت تلجأ إلى منازل متخصصة لإيواء النساء المضروبات. وبينت أن المراكز الإيوائية لم تحمِ النساء من العنف؛ حيث يشعر قسم كبير منهن بالخوف، وعدم الأمان والقلق، والإحباط. وقسم كبير منهن لم يجدن الحل لمشكلتهن. وذكرت بانكر أن القانون لا يساعد هؤلاء النسوة، فهو ينصف الرجل ويقف إلى جانبه.

وقام ستراوس وزملاؤه *Straus, et al.* الوارد في Holtzworth-Munroe, (1997) *et al.* بعمل مسحين وطنيين. تم المسح الأول عام 1975 واشتمل على مقابلات وجهاً لوجه مع أكثر من (2000) من الأزواج أو الأزواج المتعايشين. أما المسح الثاني فقد تم عام 1985 واشتمل على مقابلات عبر الهاتف لأكثر من (3500) من الأزواج. أظهرت نتائج المسحين أن واحداً من كل ثمانية من الرجال يعتدي جسدياً على زوجته كل عام (الشد، الدفع، الصفع)، وأن (1.5-2) مليون امرأة يعتدى عليها سنوياً من قبل زوجها.

كما أن (95%) من ضحايا العنف في فرنسا هن من النساء، (50%) منهن ضحايا للعنف من قبل أزواجهن. وفي كندا فإن (60%) من الرجال يمارسون العنف ضد زوجاتهم. وفي الهند يتعرض حوالي (80%) من النساء للعنف بأنواعه المختلفة من مصادر مختلفة ومن الأزواج بشكل رئيس (عزام، 2000).

وتذكر ماتلين **Matlin (2000)** أن معدلات الإساءة في المجتمعات الأوروبية مشابه لما هو موجود في شمال أمريكا. كما تكشف البيانات عن آسيا وأمريكا اللاتينية وإفريقيا عن معدلات مرتفعة من الإساءة؛ حيث أن أكثر من نصف النساء البالغات ذكرن أنهن تعرضن للإساءة الجسدية من قبل شركائهن.

قام بيني وآخرون **Binney, et al (1981)** الوارد في **(1997) Browne and Herbert** بعمل مسح لـ(150) ملجأ في إنجلترا وويلز. حيث اشتملت العينة على (656) امرأة تراوحت أعمارهن ما بين (20-42) سنة ولديهن أولاد بمعـدل (2-3) أولاد. أما معدل مدة تعرضهن للعنف فهو سـبع سـنوات. حيـث أن حوالي (59%) من العينة تعرضن للإساءة لمدة ثلاث سنوات فأكثر. وتبين أن (90%) من النسـاء تركن بيتوهن هرباً من العنف الجسدي الموجه نحوهن، و(27%) منهن هربن خوفاً من العنف الموجه نحو أطفالهن. وقد ذكرت النساء أيضاً تعرضهن للإساءة النفسية وحرمانهن من النقود للإنفاق على أنفسهن وعلى أولادهن.

وقـام دوبـاش ودوبـاش **Dobash & Dobash (1979)** المذكـور في **(1997) Browne and Herbert** بعمل مقابـلات مع (106) من النساء المعنفات جسدياً. كشفت نتائج المقابلات أن الاعتداء الجسدي يكون وفقاً للفئات التالية: إيذاء الوجه أو الجسم بنسبة (44%)، الرفس والنطح بنسبة (27%)، الدفع على أو داخل أداة غير جـارحة (15%)، الضـرب بأداة (5%)، ومحـاولات الخنـق (2%).

وفي دراسة حول انتشار العنف وجد جلز وستراوس **Gelles & Straus (1988)** المشار إليها في **Walker (2002)** أن (161) عائلة من كل (1000) عائلة في أمريكا تتعرض فيها النساء والأطفال للعنف في السنة التي سبقت دراستهما مباشرة.

وقامت كارمن وآخرون **Carmen, *et al.* (1984)** المذكورين في **Walker (2002)** بعمل مراجعة للسجلات الطبية الخاصة بالنساء المعنفات اللواتي لجأنَ إلى الحصول على العلاج النفسي، ووجدوا أن أكثر من (60%) من النساء لديهن تاريخ من التعرض للعنف الجسدي. على الرغم من أنهن لم يحصلن على معالجة خاصة بتعرضهن للعنف الجسدي، وأظهرت نتائج المراجعة كذلك أن النساء يتعرضن لأشكال مختلفة من العنف.

وفي مسح للجرائم في بريطانيا عام (1992)، تم تسجيل (530000) حالة عنف أسري حصلت خلال عام 1991، وأكثر من نصف هذه الحالات كان ضحاياها النساء على يد أزواجهن أو أحد الأقارب الذين يعيشون في المنزل **(Browne and Herbert, 1997)**.

قام أوليري وآخرون **O'Leary, *et al.* (1992)** بعمل قياس متعدد النماذج **Multi-modal** حول عنف الزوج نحو الزوجة لـ (132) زوجاً حضروا للعلاج الزواجي في عيادة **Stony Brook** في جامعة نيويورك. وقد تبين أن (1.5%) فقط من الأزواج و(6%) من الزوجات وضعوا العدوان الجسدي في قائمة المشكلات المعروضة. وعند إجراء مقابلة فردية مع الأزواج، أشار (46%) من الأزواج و(44%) من الزوجات (أي 56% من الأزواج **couples**) إلى وجود

العنف أو الإساءة الجسدية. علاوة على ذلك، فإن (53%) من الأزواج والزوجات أشاروا من خلال استبانة إلى حصول سلوك واحد على الأقل يدل على العدوان الجسدي خلال العام الماضي.

إن العدوان الجسدي المتوسط والشديد يجب أخذهما على محمل الجد من قبل الأخصائيين النفسيين. ورغم أن الرجال والنساء ينهمكون في سلوكات عنيفة، فإن الآثار النفسية والجسدية على النساء أكثر منها على الرجال؛ ففي دراسة كاسكاردي وآخرون **Cascardi, *et al.*** الواردة في **Heyman & Neidig (1997)** لعينة إكلينيكية مؤلفة من (93) زوجاً من عيادة **Stony Brook**، تبين أن (40%) من الزوجات تعرضن لكدمات خارجية من أزواجهن خلال العام الماضي، و(17%) منهن ذكرن وجود كدمات خطيرة، و(13%) ذكرن وجود كسور في العظام، والأسنان، أو أعضاء حساسة.

وفي دراسة قام بها بيك-آسا وآخرون **Peek-Asa, *et al.* (2002)** حول مقدار شدة الحوادث المتنبئة بإساءة الشريك المدركة من قبل النساء في المكسيك والولايات المتحدة. حيث تم عمل مسح لنساء من كاليفورنيا، كيرنفاكا، المكسيك ولوس أنجلوس لفحص الفروق في إدراكاتهن لشدة الحوادث المتنبئة بالعنف الأسري. حيث قامت (120) امرأة من كل دولة بوضع تقادير حول الشدة لستة وعشرين حادثاً متنبئاً بالعنف الأسري.

كشفت النتائج أن النتائج في أمريكا قدَّرن (24) حادثاً من أصل (26) على أنها شديدة مقارنة بالنساء في المكسيك اللواتي قدرن (23) حادثاً من أصل (26) على أنها شديدة. علماً بأن الفقرات مرتبة بالطريقة نفسها. وتبين أن الحادث الأكثر

شدة في كلا البلدين هو استخدام البندقية. أما الحادث الأقل خطورة وشدة فهو كون الشريك غيوراً.

وقدّرت النساء الأمريكيات كل نوع من العنف على أنه خطير جداً، مقارنة بالنساء المكسيكيات، والفروق بينهن كانت كبيرة جداً فيما يتعلق بالعنف الجسدي، وصغيرة فيما يتعلق بالعنف الانفعالي.

عرض جلز **Gelles (1985)** دراسة لجلز وآخرين **Gelles, *et al.* (1976)** حيث قاموا بمقابلة عينة ممثلة من الأسر الأمريكية مؤلفة من (2143) عائلة أمريكية، واستخدموا أداة لقياس العنف وهي مقياس حل الصراع **Conflict Tactics Scale (CTS)** لستراوس. يبدأ المقياس بفكرة أن جميع العائلات يوجد فيها صراعات بين فرد وآخر، وأن العائلات تستخدم أساليب متعددة للتعامل مع الصراعات. قام الباحثون بعد ذلك بعرض فقرات المقياس العشرين على أفراد العينة، وذلك لمعرفة فيما إذا استعمل الأفراد هذه الأساليب للتعامل مع الصراعات، وما مدى تكرار استعمالهم لكل أسلوب.

الفقرة الأولى: نحن نناقش الموضوع بهدوء.

الفقرة 16: تسأل عن كم مرة يستعمل الفرد الصفع على الوجه أو المؤخرة.

الفقرة 20: تسأل كم مرة يستعمل الفرد السكين أو السلاح.

وقياساً على نتائج الدراسة تبين أن ما يقارب (50.000) أب يستعملون السكين أو السلاح ضد أطفالهم أثناء تربيتهم كل عام، و(175.000) من الأخوة يستعملون السكين أو السلاح ضد إخوتهم خلال العام السابق لإجراء الدراسة، وأن

(100.000) من الأزواج والزوجات يستعملون السكاكين والأسلحة تجاه بعضهم بعضاً خلال عام واحد.

وقد قام الباحثون بجمع الفقرات التي وجدوا أنها تعبر عن عنف، من أجل معرفة مقدار شدة مشكلة العنف ضد المرأة، والإساءة للطفل في الولايات المتحدة الأمريكية. وقد اشتملت الفقرات على سلوكات مثل: الرفس، والعض، والتوبيخ، والضرب، ومحاولة الضرب بأداة، والتهديد باستعمال السكين أو السلاح، أو استعمال السكين أو السلاح فعلياً.

وقد كشفت الدراسة أن (3.8%) من النساء يتعرضن للعنف كل عام. أما بالنسبة للأطفال، فإن (3.6%) من الأطفال أو ما يقارب (1.6) مليون طفل تتراوح أعمارهم ما بين (3-17) عاماً يتعرضون للعنف سنوياً.

ويذكر ستراوس **Straus (1978)** نتائج أخرى حول دراسة جلز وآخرون المشار إليها سابقاً، حيث أنه أحد الباحثين الذين شاركوا فيها، بأن ثلث الأزواج الذين شملتهم الدراسة تقريباً أشاروا إلى قيامهم بسلوك واحد من ضمن السلوكات التي تقع ضمن سلوكات العنف ضد الزوجة (الرفس، والضرب، والضرب بأداة، والضرب بشيء ما، والعض، والتهديد بالسكين أو السلاح، واستعمال السكين أو السلاح) مرة واحدة في السنة. وذكر (19%) من الأزواج قيامهم بسلوكين عنيفين ضد الزوجات خلال العام، و(16%) من الأزواج أشاروا إلى قيامهم بثلاثة أو أربعة سلوكات عنيفة خلال العام. وذكر حوالي (30%) من الأزواج قيامهم بخمسة سلوكات عنيفة أو أكثر خلال العام.

قام سورنسون Sorensen (1989) بدراسة مسحية على عينة عشوائية للسكان من مواليد غرينلاند، تتراوح أعمارهم ما بين (18-80) عاماً، حيث تم تطبيق استبانة على (101) من الرجال و(107) من النساء. وتغطي الاستبانة أفكاراً كثيرة من بينها ضرب المرأة. أظهرت نتائج المسح أن (57%) من المستجيبين أكدوا بأن المرأة في دائرة علاقاتها القريبة تتعرض للعنف من قبل زوجها أو من تحب. كما أشار (36%) من المستجيبين إلى أن المرأة لا تتعرض للعنف، ولم يجب (7%) منهم على السؤال المتعلق بتعرض المرأة للعنف.

أما فيما يتعلق بالمسؤولية عن حصول العنف، فقد قام الباحث بسؤال العينة إلى أية درجة تعتبر المرأة ضحية العنف هي المسؤولة عن العنف وهي التي تجلبه لنفسها؟ وقد أشارت الإجابة على هذا السؤال إلى أن (88%) من النساء و(75%) من الرجال يعتبرون المرأة هي التي تتسبب في حصول العنف.

قامت ولسون Willson (1999) في جامعة تكساس بدراسة وصفية طولية لقياس مدى وجود العنف الأسري ومدى احتمال التعرض للقتل قبل وبعد تدوين النساء المعنفات في سجلات الشرطة الخاصة بالاعتداء على الشريك الحميم من خلال وحدة العنف الأسري التابعة لإدارة الشرطة المدنية. حيث قامت الباحثة بإجراء مقابلات مع (90) امرأة من المراجعات المسجلات لدى وحدة العنف الأسري Family Violence Unit (FVU)، مستخدمة الأدوات التالية: -

أداة لجمع المعلومات الديمغرافية.
أداة لقياس الخطر لكامبل.
أداة لقياس شدة العنف ضد المرأة لمارشيل.

وقد أشارت النتائج إلى أن (54%) من النســـاء هن أمريكيـــات إفريقيـات، و(28%) أمريكيات إسبانيات، و(14%) من القوقاز. وفيما يتعلق بالعمر، فقد تراوحت أعمار النساء ما بين (19-58) عاماً، ومعظمهن عاملات، ويحصلن على دخل أقل من (30000) دولار في العام.

وقد أجريت مقابلة متابعة بعد ثلاثة شهور، وأخرى بعد ستة شهور مع (83) امرأة من أصل (90) امرأة اشتركن في الدراسة. وقد ذكرت النساء المعنفات أن هناك انخفاضاً جوهرياً للعنف، ولاحتمال التعرض للقتل، في فترة تبدأ من تسجيل أسمائهن لدى الشرطة، وقد استمر هذا الانخفاض بعد ثلاثة وستة شهور من المتابعة.

وفي تقرير أعدته "وحدة العنف الأسري" في مكتب المدعي العام الأمريكي، أن امرأة تضرب كل (12) ثانية، وهذا يعني أن خمسة ملايين امرأة أمريكية تتعرض لحوادث عنف خلال عامي (1992-1993). وفي تقرير أحدث ظهر مؤخراً، تبين أن ظاهرة الاعتداء على النساء ازدادت بشكل خطير؛ حيث تتعرض امرأة أمريكية للضرب كل (9) ثواني، وعليه فقد تضاعفت أعداد النساء اللواتي يتعرضن للضرب خلال عقد التسعينيات لتصل هذه الأعداد سنوياً إلى ما يقرب من أربعة ملايين امرأة أمريكية (محمود وإبراهيم، 2001).

متغيرات مرتبطة بعنف الزوج

هناك عدة متغيرات ترتبط بانتشار عنف الزوج نحو الزوجة والأولاد، ومنها:-

المستوى الاقتصادي والاجتماعي. يكثر العنف في العائلات ذات المستوى الاقتصادي والاجتماعي المتدني، حيث يوجد في مثل هذه الأسر معدلات عالية من العنف ضد الزوجة والأطفال، فقد وجد هولتزوورث-مونرو وآخرون **Holtzworth-Munroe, *et al.*, (1997)** أن هناك علاقة سلبية بي المستوى الاقتصادي والاجتماعي والعنف؛ فطبقة العاملين هم أكثر ميلاً لممارسة العنف ممن هم في الطبقات العليا. وقد وجدت العواودة (1998) أن الأزواج غير العاملين أكثر ممارسة للعنف ضد زوجاتهم من العاملين، وأن العاملين في المهن الحرة أكثر ممارسة للعنف من الموظفين. وكذلك ينتشر العنف في الأسر ذات الدخل المتدني. لكن هذا لا يعني أن كل الناس لفقراء يمارسون العنف الأسري. حيث يوجد من هم في المستويات الاقتصادية والاجتماعية المتوسطة أو العليا ويمارسون العنف.

طفولة الفرد. إن احتمالية كون الفرد مسيئاً في رشده يتأثر بكونه قد تعرض للإساءة في طفولته، فيصبح مسيئاً على إثر تعرضه للإساءة في صغره، أو أنه عاش في ظروف أسرية مورس فيها إساءة من الوالد نحو الأم و/ أو الأولاد. وقد تبين أن الذين يسيئون لزوجاتهم لديهم تاريخ من التعرض للإساءة وهم أطفال؛ فقد وجدت مجموعة الائتلاف ضد العنف الأسري ان (42%) من المسيئين أسيء لهم وهم أطفال، و(53%) رأوا العنف في منازلهم، و(75%) رأوا آباءهم يضربون أمهاتهم. إن هذا يعني أن العنف هو مشكلة العائلة والمجتمع في آن واحد **(Wetzel & Ross, 1986; Holtzworth-Munroe, *et al.*, 1997).**

العمر. يرتبط العمر بعلاقة سلبية مع عنف الزوج ضد الزوجة؛ فالأزواج في العشرينيات وأوائل الثلاثينيات من اعمارهم يمارسون العنف الجسدي ضد زوجاتهم

ضعفي الأزواج الأكبر عمراً (**Holtzworth-Munroe, *et al.*, 1997**)؛ حيث أن الشباب الأصغر عمراً يتصفون بالغيرة والشك، كما انهم أكثر سرعة في الانفعال والغضب (**Davies, 1998**).

وقد وجدت العواودة (1998) أن الزواج المبكر ينتشر فيه العنف بشكل كبير، فالفتيات الصغيرات أكثر عرضة للعنف ممن هن أكبر منهن عمراً. مثلاً، اللواتي في عمر (15-20) سنة أكثر عرضة للعنف ممن هن في عمر (25) سنة واللواتي في عمر (25) سنة أكثر عرضة للعنف ممن هن في عمر (30) سنة.

العرق. إذا ما نظرنا إلى المجتمع الأمريكي، فإننا نجد أن العنف ضد الزوجة ينتشر في الأقليات العرقية مثل: الأمريكان الأفارقة أو اللاتينيين، أكثر من انتشاره بين البيض.

من خلال ما قمنا بعرضه سابقاً حول انتشار العنف ضد المرأة والزوجة خاصة، نجد أن هذه المشكلة لم تعد مرتبطة بمجتمع معين ولا بفئة معينة من الناس، فهي موجودة في المجتمعات المختلفة، والطبقات المختلفة، والأعمار المختلفة، وكذلك المستويات العلمية والثقافية المختلفة. وما علينا إلا أن نسلط الضوء عليها أكثر علناً نستطيع أن نتعرف على طريقة إيجابية في التعامل مع هذه المشكلة بدلاً من تجنب الحديث حولها أو ترديد عبارات حول عدم وجود هذه المشكلة في مجتمعاتنا، ملقين باللوم على من يثير هذا الموضوع. والسؤال المهم الذي يطرح نفسه الآن، ترى ما الذي يدفع الزوج لأن يعنف زوجته ويقوده إلى أن يتصرف بعدوانية معها؟

أسباب عنف الزوج ضد الزوجة

لقد تعددت الأسباب التي ذكرها الباحثون باعتبارها تؤدي إلى ممارسة الزوج للعنف ضد زوجته. ومن أهم هذه الأسباب: -

1. نشأة الفرد في أسرة يسودها العنف، فقد وجد الباحثون أن هناك علاقة بين ممارسة الأب للعنف على الأم أو على الابن وإمكانية أن يصبح الابن في المستقبل ممارساً للعنف على زوجته، وأن الأطفال الذين يعيشون في أسر يسودها العنف، يتعلمون ممارسة العنف. ولقد قادت البيانات حول أثر العائلة الأصلية للرجل على سلوك العنف نحو الزوجة إلى الاستنتاج بأن العيش في منزل يسوده العنف هو علامة خطر على الزواج (**Conroy, 1994; Holtzworth-Munroe, *et al.*, 1997**). وقد أشار باندورا **Bandura (1977)** المشار إليه في **Stith, *et al.* (2000)** إلى إمكانية تعلم العنف من خلال الملاحظة، وبين أن تعلم العنف يتأثر بجنس النموذج، حيث يتعلم الابن من والده سلوك العنف.

وقد وجدت ستث وآخرون **Stith, *et al.* (2000)** أن نمو الفرد في أسرة يسودها العنف يؤدي إلى أن يدخل هذا الفرد في علاقة زواجية يسودها العنف. فيتعلم الأطفال كيف يتصرفون من خلال معاملة الآخرين لهم بعنف، أو عن طريق مراقبة آبائهم في تعاملهم مع الآخرين، ومن ثم نقل سلوك العنف عن طريق التقليد والاقتداء. فالطفل الذي يشاهد والده يعتدي على أمه يتعلم أن العنف سلوك مقبول. كذلك الفتاة فإنها تتعلم أن تتقبل كونها ضحية.

وتلعب التنشئة الأسرية دوراً كبيراً في حصول العنف؛ فالنساء يتعلمن أن يكن ضعيفات وغير قادرات على التعامل مع العنف، فلا يطورن أساليب لتجنب أو إيقاف الإساءة، ويخضعن للعنف الذي لا بديل عنه برأيهن. وعلى العكس، فإن الرجال تتم تنشئتهم على أنهم فعالون عدوانيون ولديهم سيطرة على النساء. وهكذا فإن احتمالية العنف تزداد إذا نشأ الزواج بين رجل مسيطر وامرأة خاضعة **(Browne and Herbert, 1997)**.

2. قد تلعب الثقافة دوراً في حصول الإساءة للمرأة، فالثقافة التي تجعل من الرجل أفضل من المرأة وتمنحه الحق في الرأي والسلطة، هي ثقافة تؤيد ممارسة الإساءة نحو المرأة باعتباره ضرباً من ضروب الرجولة. بل قد يصاب الرجل بالخجل إذا عرف عنه أن زوجته لا تخشاه ويوصف بالمحكوم أو الضعيف (عزام، 2000).

إن استعمال العنف من قبل الزوج ضد زوجته قد يكون في حالة كون المرأة متميزة في عملها، أو أن مستواها التعليمي يفوق مستواه، مما يدفعه لإيذائها كنوع من التعويض عن شعوره بالنقص أو الدونية تجاهها، وليثبت لها أنه يظل الأقوى. قد يحدث هذا لأن الزوجة المتعلمة تدرك حقها في أن تبدي رأيها وتناقش زوجها في شؤون حياتهم الأسرية، مما يغضب الزوج الذي ينكر عليها هذا الحق، مما يؤدي إلى الخلاف وربما العنف**(Kurland, 1986)**.

3. الغيرة والشك. إن الأزواج العنيفين لديهم غيرة وشك في زوجاتهم. وقد تشتعل الغيرة لأبسط الأسباب، فمثلا: قد يرى زوجته تتحدث إلى شخص ما كزميلها في العمل، فيعتقد أن بينهما علاقة**(Wetzel and Ross, 1986)**.

4.إن الأزواج الذين يستخدمون العنف ضد زوجاتهم يلجأون له بقصد إظهار الهيمنة، واستغلال القوة البدنية للسيطرة على المرأة. ويرى بوجراد **Bogrrad (1988)** الوارد في عبد الرحمن (1999) أن القوانين الاجتماعية للزواج والأسرة تدعم استخدام الرجل للقوة الجسدية ضد المرأة.

5.الافتقار لمهارات الاتصال وحل المشكلات، والتعامل مع الخلافات والصراعات بطريقة تزيد من حدتها. حيث يكون الزوجان غير قادرين على الاتصال وإدارة الصراع بشكل فعال، ويفشلان في الإصغاء لبعضهما، ولا يميلان لاقتراح حلول ممكنة للمشكلة؛ فقد يميل الزوج للانسحاب من الموقف، أو التعامل مع المشكلات أو الصراعات الزوجية باستخدام العنف **(Wetzel and Ross, 1986; Holtzworth-Munroe, *et al.*, 1997)**.

6.الضواغط. قد تلعب الضواغط التي تمر بها الأسرة دوراً في حصول العنف، وخاصة الضغط الذي يتعرض له الزوج، مثل ضغط العمل، أو الضغط الناجم عن عدم الرضى الزواجي، أو وجود الزوج بلا عمل **(Holtzworth-Munroe, *et al.*, 1997; Davies, 1998)**. حيث توجد معدلات مرتفعة من العنف في الأسر التي يعمل الزوج فيها بدوام جزئي، أو يكون عاطلاً عن العمل، مقارنة بالأزواج الذين يعملون بدوام كامل أو لوقت أطول **(Gelles, 1985)**.

7.تعاطي الكحول. في دراسة كانفر وستراوس **Kanfer & Straus (1990)** الواردة في عبد الرحمن (1999) على عينة مؤلفة من (2500) رجل وامرأة متزوجين أو متعايشين، هناك علاقة خطية موجبة بين تعاطي الكحول

وعنف الزوج ضد زوجته وإذا زاد معدل التعاطي عن ثلاث مرات فأكثر يومياً، كان ذلك عاملاً حاسماً في إساءة معاملة الزوجة.

إن معظم الرجال الذين يشربون الكحول يعتبرونه السبب في ممارسة العنف، ويفسرون ذلك كالتالي: "لا أدري ماذا حصل لي.. لابد أن يكون الكحول." أي أن امتناعهم عن شرب الكحول سيؤدي إلى توقفهم عن ممارسة العنف ضد الزوجات (**Matlin, 2000**).

8.إن وجود أطفال في العائلة يعتبر من أسباب ظهور العنف؛ فكلما زاد عدد الأطفال في المنزل زاد العنف ضد الزوجة. فقد وجد فاجانيتال **Faganetal (1983)** الوارد في عزام (2000) أن (80%) من الأسر الأمريكية تعاني من عنف الزوج تجاه الزوجة التي لديها أطفال وليس لديها إمكانات كافية لتلبية احتياجاتهم. وكلما زاد عدد الأطفال زادت متطلباتهم، وهذا يعني الحاجة إلى دخل أكبر. وقد أثبت الباحثون أن العنف أكثر ظهوراً في الأسر ذات المستوى الاجتماعي الاقتصادي المتدني مما هو عليه في الأسـر ذات المسـتوى الاجتماعي الاقتصادي الأفضل **(Holtzworth-Munroe, *et al.*, 1997)**.

9.وسائل الإعلام. تلعب وسائل الإعلام دوراً في توجيه عنف الرجل ضد المرأة، من خلال عرض الأفلام التي تصور قدرة الرجل على إيذاء وضرب زوجته. وأيضاً تصوير الرجل دائماً في صورة القوة، وأن الرجل الأقوى هو الأفضل. وهذا يسهم في تعلم العنف أو تقليد الناس لما يرون.

10. الحمل. في الخمسة والعشرين عاماً الماضية، أظهرت العديد من الأبحاث أن معظم النساء، حتى أولئك الحوامل منهن، يقعن ضحايا للعنف الجسدي. حيث

قامت هيلتون **Helton (1986)** المذكورة في **Browne and (1997) Herbert** بإجراء دراسة على (290) امرأة حامل. وجدت هيلتون أن (15.2%) من النســاء ذكـرن أنهن تعرضن للضرب قبل حملهن الحـالي، وأن (8.3%) من النساء الحوامل ذكرن أنهن تعرضن للضرب خلال فترة الحمل الحالي لهن.

وفي أمريكا حيث ينتشر العنف ضد المرأة بشكل واسع، ذكر كونيلي وآخرون **Connelly, *et al.* (2000)** أن ما بين (2-4) مليون امرأة تتعرض للعنف سنوياً. ولا يعتبر الحمل واقياً للنساء من الإساءة الجسدية أو النفسية؛ فقد تبين في أحد المسوح أن (17%) من النساء اللواتي يراجعن عيادات الأمومة والطفولة يتعرضن للإساءة الجسدية أو النفسية خلال الحمل.

وتشير الدراسات التي ركزت على حدوث العنف الجسدي ضد المرأة خلال فترة الحمل أن معدلات انتشار الإساءة تتراوح ما بين (1%-30%) تقريباً **(Cloutier, 2002)**.

وقامت باهي **(Pahi) (1985)** المذكورة في **Browne and Herbert (1997)** بإجراء مقابلات تفصيلية على (42) امرأة من المقيمات في الملاجئ في المنطقة الشرقية الجنوبية لإنجلترا. وقد كشفت دراستها أن (36%) من النساء كنَّ حواملاً عندما بدأ العنف، وفي أغلب الحالات كان هذا هو حملهن الأول. كما تبين أنه في (90%) من الحالات كان هناك طفل للعائلة عمره أقل من خمس سنوات، يعيش في المنزل عندما بدأ العنف.

كما قامت كلوتير وآخرون **Cloutier, *et al.* (2002)** بدراسة حول النساء الحوامل ضحايا الإساءة من الشريك، لقياس مدى تكرار حصول السلوكات

العنيفة خلال فترة الحمل، وكيفية وصف النساء لنوعية العلاقة، والرابطة ما بين تكرار العنف وإدراكات النساء المتعلقة بنوعية العلاقة ككل.

شملت عينة الدراسة (81) امرأة مساء لهن جسدياً من قبل شركائهن خلال فترة الحمل، حيث تم إجراء مقابلة معهن، وتم جمع المعلومات حول الخصائص الاجتماعية الديمغرافية: كالعمر، والمهنة، والتعليم، والدخل، والعرق، والطبقة الاجتماعية، ومعلومات حول خبرة النساء المتعلقة بعنف الشريك خلال فترة الحمل، والإدراكات حول أبعاد أخرى لنوعية علاقتهن.

وتشير نتائج الدراسة إلى أن أكثر أشكال العنف حدوثاً خلال فترة الحمل هو العدوان اللفظي، ثم الجسدي البسيط، ثم العنف الجسدي الشديد. كذلك أشارت النتائج إلى أن الرجال يرتكبون نوعي العنف بمعدلات مرتفعة مقارنة بما تفعله شريكاتهم من النساء. وبشكل عام، فإن النساء سلبيات تماماً في وصفهن للعديد من أبعاد علاقتهن، كما هو الحال في إدراكاتهن المتعلقة بنوعية العلاقة ككل. وأن النساء ضحايا العنف المتكرر بشدة هن أكثر ميلاً لوصف علاقاتهن على أنها تعيسة عموماً.

كذلك قام رودريجيز **Rodriguez (1999)** بإجراء دراسة حول انتشار العنف الأسري الموجه نحو النساء الحوامل من أصول مكسيكية. أظهرت النتائج أن حوالي (18%) من النساء في أمريكا اللاتينية اختبرن العنف من قبل شركائهن، وأكثر من نصف النساء المساء لهن يتعرضن للإصابة بالجروح خلال الحمل، مما يعرض المرأة للولادة المبكرة، أو أن يكون وزن المولود أقل من الطبيعي، أو تؤدي إلى وفاة الجنين.

وقد تم إجراء مقابلات لحوالي (521) امرأة مكسيكية أمريكية ومكسيكية في مراكز الرعاية الوالدية في مناطق ريفية وحضرية من الولايات المتحدة، ومناطق مكسيكية حضرية أيضاً. بشكل عام، فقد وجد أن نسبة انتشار العنف كانت (8.8%) وقد تراوحت ما بين (3.8%) في المناطق الحضرية إلى (17.5%) في المناطق الريفية الأمريكية.

وبشـــكل عــام، فإن معــدل انتشـــار العنــف بين النســـاء الحوامــل وصل إلى (6.2%)، والنسبة الأعلى كانت في المناطق الأمريكية الريفية. ورغم أن النساء الأمريكيات الريفيات أشرن إلى تكرار أكثر للعنف، فإن النساء الحضريات الأمريكيات والمكسيكيات أشرن إلى أنهن يختبرن عنفاً أكثر شدة. ومقارنة بالنساء غير المعنفات، فإن النساء المعنفات لديهن تقدير ذات متدنٍّ ومستويات ثقافية أعلى.

الفصل الثاني

صورة الرجل العنيف وطبيعة شخصية المرأة المعنفة

الفصل الثاني

صورة الرجل العنيف وطبيعة شخصية المرأة المعنفة

مقدمة

ترى هل يختلف الرجل العنيف عن غيره من الرجال؟ وهل للمرأة المعنفة صورة تختلف عن غيرها من النساء؟

هذان سؤالان شغلا تفكير الكثيرين من العلماء الذي درسوا موضوع العنف الموجه من الزوج ضد الزوجة، ولا شك أنهما يستمتعان الإجابة عليهما، فليس كل الرجال عنيفين، وليست كل النساء معنفات.

إن ما توصل إليه العلماء بهذا الشأن يظهر أن للرجل العنيف صورة تختلف عن غيره من الرجال. فقد أكدت الدراسات أن الرجل العنيف يتصف بصفات ويمارس سلوكات تميزه عن غيره، ولعل من أهمها أنه يشعر بالشك والغيرة على زوجته بشكل زائد، يؤمن بسلطة الرجل المطلقة على المرأة ويترجم هذه السلطة باستخدام العنف، لديه معتقدات خاطئة حول المرأة ودورها ويتهمها دائماً انها السبب في حصول العنف... إلخ وسنذكر هذه الصفات لاحقاً مع توضيحها.

أما المرأة المعنفة فقد كشفت الدراسات أن للمراة المعنفة صورة معينة تبدو عليها، فهي تبدو ضعيفة غير واثقة من نفسها، ولديها تقدير ذات متدنٍّ، وتفتقر إلى الكثير من المهارات، مثل مهارات الاتصال، وحل لمشكلات، وتأكيد الذات، ولديها

معتقدات خاطئة حول نفسها وحول دور زوجها، وتبرر العنف الموجه ضدها... إلخ وهذا ما سأتناوله بالتفصيل في الصفحات التالية.

ويبقى سؤال هل المرأة أصبحت تتصف بهذه الصفات نتيجة لتعرضها للعنف، ام أنها وقعت ضحية للعنف بسبب أنها تتصف بهذه الصفات. وبهذا يمكن أن نقدم لها المساعدة بحيث نعمل على تطوير مفهوم ذات إيجابي عندها ومثل زيادة تقديرها لذاتها. وكذلك تعليمها مهارات تستطيع أن تستفيد منها في حياتها وأثناء تعاملها مع زوجها وأولادها، مما يجعل حياتها الزوجية والأسرية أفضل.

صورة الرجل العنيف

إن الأزواج العنيفين موجودون في كافة المستويات الاقتصادية، والاجتماعية، والتعليمية، والأعمار المختلفة، والمجموعات العرقية المختلفة (Matlin, 2000). فقد استنتج هوتالينج وشوجرمان **Hotaling & Sugerman (1986)** الوارد في **Holtzworth-Munroe, *et al.* (1997)** أن العنف هو سلوك الرجال، وأنه ليس من المدهش أن تكون الجهود الأكثر مساعدة لتوضيح هذا السلوك هي التي تتحدث عن صفات الرجال العنيفين، ومنها: -

يكون الزوج العنيف ضد زوجته تقليديا في اتجاهاته نحو الأدوار الأنثوية والذكورية، ويتمسك بالصورة النمطية الأنثوية والذكورية في علاقاته بالآخرين **(Holtzworth-Munroe, *et al.*, 1997; Wetzel & Ross, 1986; Walker, 2002)**.

ضبط الزوجة. يسلك الزوج بطريقة تمكنه من ضبط زوجته، فيمنعها من الخروج او تكوين صداقات. فمثلاً، قد لا تستطيع الزوجة الجلوس في ساحة المنزل لأن زوجها سيهاتفها كل ساعة او ساعتين، وإن لم ترد على الهاتف من أول جرس فإنها ستتعرض للضرب. وتشير الأبحاث إلى أن الأزواج العنيفين ربما يدركون أنفسهم كأشخاص ضعفاء، ويستعملون العنف عادة لكسب حالة من الضبط. وقد وجد كولمان وستراوس **Coleman & Straus (1990)** المشار إليهما في **Holtzworth-Munroe, *et al.* (1997)** أن العلاقات التي تكون فيها السيادة للرجل يكون فيها درجة عالية من الصراعات ودرجة أقل من الاتفاق. أما في

العلاقات ذات السيادة المشتركة بين الرجل والمرأة، فإنها تحتوي درجة أعلى من الاتفاق ودرجة أقل من الصراعات.

إن الأزواج الذين يمارسون العنف ضد زوجاتهم يفتقرون لمهارات الاتصال ومهارة تأكيد الذات وحل المشكلات. ولذلك فهم يلجأون للعنف عندما لا يستطيعون حل الصراعات الزواجية بنجاح.

ازدواج في الشخصية. حيث يظهر الزوج العنيف وجهان: أحدهما طيب، والآخر شرير. فهم يظهرون في بعض الأوقات آباء وازواج لطيفين ومحبين، وهذه الشخصية هي التي تحبها المرأة. لكن يكون هذا فقط في الأماكن العامة، أما في المنزل فتظهر شخصية مختلفة تماماً، إنه يبدو مرعباً ومخيفاً، وعندما تتحدث زوجته عن سلوكاته العنيفة، فإن الناس لا يصدقونها لأنهم لا يرون منه إلا اللطف والوداعة.

يتصف الأزواج العنيفون بكونهم مزاجيون وسريعو الأنفعال، فقد تحدث امور تافهة ولا تستحق الانزعاج أو الغضب، إلا أنها تستجر عندهم سلوك الغضب والعنف، فمثلاً، قد يكون احتراق الطعام سبباً في استثارة النزاع وقيام الزوج بضرب زوجته **(Wetzel & Ross, 1986)**. فقد وجد الباحثون أن الرجال العنيفين مقارنة بغير العنيفين، يظهرون مستويات عالية من الغضب والعدوانية، ليس فقط على مقاييس الغضب العام والعدوانية، ولكن في الاستجابة للصراعات الزواجية، وأثناء مناقشة مشكلات زواجية مع زوجاتهم **(Holtzworth-Munroe, *et al.*, 1997)**.

الإسقاط Projection. حيث يقوم الزوج بلوم الآخرين والظروف الخارجية لسلوكه الخاص، ويتجنب نتائج سلوكه، ويقلل من إحساسه بالمسؤولية

تجاه أعماله العدوانية. كما أنه لا يبذل جهداً في التغيير، فهو يسقط أخطاءه على زوجته.

يزداد عنف الزوج عندما تكون الزوجة حاملاً أو بعد الولادة بوقت قليل. ولا يهمه أن يصبح والداً أو يرى أولاده، والزوجة التي تتعرض للعنف أثناء الحمل إما أن تجهض، او أن يستمر حملها وهي تحت تهديد العنف من الزوج **(Wetzel & Ross, 1986)**.

الإنكار Denial. حيث ينكر الزوج أنه اعتدى على زوجته، ويردد عبارات مثل: "أنا لم أقربها، فقط قمت بدفعا قليلاً." وينكر ما قام به من إيذاء لها ويكذب بشأن ما قام به من سلوكات وأذى بحق زوجته، ويتساءل حول ما حدث لزوجته.

إدراكات والمعارف Cognition. فحص الباحثون العديد من المعارف لدى الأزواج العنيفين مقارنة بغير العنيفين، معتمدين على فكرة أن المعتقدات والاتجاهات التي يحملها الرجال العنيفون ربما تؤدي لاستعمالهم العدوان الجسدي. إن إدراك الرجل أن من حقه أن يضرب زوجته، وان حاجته يجب أن تلبى أولاً وقبل كل شيء، يجعله أكثر ميلاً لأن يقدم على ضرب زوجته، فهو يرى أن الرجل يجب أن يكون على رأس العائلة، لأنه هو الأهم، وهذا ينسجم مع الأدوار الجنسية التقليدية. وليس من المدهش أن نجد أن هناك الكثيرين من الرجال الذين يحملون اتجاهات إيجابية نحو العدوان اللفظي والجسدي على المرأة، وهؤلاء أكثر عنفاً ممن لا يحملون مثل هذه الاتجاهات **(Matlin, 2000)**. هذا كما درس الباحثون أنماط العزو لدى الأزواج العنيفين، فقد أشار هولتزوورث-مونرو وآخرون **Holtzworth-Munroe, *et al.*, 1997** إلى أن الأزواج العنيفين يفترضون النوايا السلبية لسلوك

زوجاتهم، مما يزيد من غضب الزوج وعنفه، ثم يقوم بعد ذلك بلوم زوجته واعتبارها المسؤولة عما بدر منه من عنف ضدها.

البقاء في حلقة من العنف والندم. بعد أن يعتدي الزوج على زوجته، فإنه قد يندم ويعبر لها عن أسفه، وقد يبكي، ويحضر لها الهدايا، ويخبرها أنه لا يستطيع العيش دونها، وأنه يريدها، مما يمنع الزوجة من تركه أو يدفعها للعودة له. ومن ثم يعود الزوج لعنفه وقد يصبح أشد. وفي كل مرة تصبح حالة الندم والأسف أكثر براعة ومكراً، وهكذا تستمر الحلقة المفرغة. إن المرأة تعزز سلوكه بتصديقها له ومحاولتها الاستمرار في العيش معه، ولكنه يعود للعنف معها، ثم يندم ويمارس سلوكات تجعلها تشفق عليه وتصدقه وتبقى معه، وهكذا تستمر الحلقة **(Wetzel & Ross, 1986)**.

الأزواج العنيفون لديهم تقدير ذات متدنٍّ، فقد وجدت كولمان **Coleman (1980)** الواردة في **Browne & Herbert (1997)** من مقابلات فردية أجرتها مع الرجال الذين يمارسون العنف ضد زوجاتهم، أنهم يعانون من مشكلات نفسية مثل: تدني تقدير الذات، والإدمان على الكحول والعقاقير، ولديهم تشوهات معرفية، ويظهرون نقصاً في تحمل المسؤولية تجاه ما يمارسونه من عنف **(Browne & Herbert, 1997)**.

ويذكر عبد الرحمن (1999) دراسة لكانفر وستراوس **Kanfer & Straus (1990)** حول العلاقة بين تعاطي الكحول والعنف ضد الزوجة. حيث قام الباحثان بإجراء دراسة على عينة مؤلفة من (2500) رجل وامرأة متزوجين أو متعايشين. تبين أن هناك علاقة خطية بين تعاطي الكحول وعدوان الرجل على المرأة. وكلما زاد معدل التعاطي عن ثلاث مرات أو أكثر يومياً، كلما كان ذلك عاملاً

حاسماً في إساءة معاملة الزوجة. وقد أكدت المسوحات الوطنية في أمريكا وجود علاقة بين الاعتماد على الكحول وحصول العنف الزواجي. ففي دراسة قام بها ميرفي وأوفاريل **Murphy & Ofarell (1992)** لفحص العوامل الأكثر خطورة في العنف الزواجي بين الرجال الكحوليين الذين يبحثون عن المعالجة، والتي أجرياها على عينة شملت (107) من الأزواج الذين بدأوا العلاج من الكحولية. وقد تم تقسيم العينة إلى فئتين: فئة العدوانيين، وفئة غير العدوانيين، تبعاً لاستجاباتهم على مقياس حل الصرع **(CTS)**. هذا وقد تم قياس أنماط الشرب، وموقع الشرب، والسلوك المضاد للمجتمع وأي سلوك عدواني آخر، وشدة مشاكل الاعتماد على الكحول، وتاريخ الشرب في العائلة، والدافعية نحو الشرب، والمعتقدات حول الكحول، والصراعات والخلافات الزواجية، ومتغيرات ديمغرافية.

أظهرت النتائج أن الرجال الكحوليين العدوانيين وعددهم (71) يختلفون عن الرجال الكحوليين غير العدوانيين وعددهم (36) في أنماط الشرب (لديهم تاريخ أكبر من الاعتقال، ويمارسون العدوان اللفظي بمستويات أعلى). وفيما يتعلق بشدة مشاكل الكحول والتاريخ العائلي، يظهر أن هناك مشاكل كحولية كبيرة بين الرجال ذوي القرابة البيولوجية. أما عن المعتقدات حول الكحول، فهم أقل ثقة بقدرتهم على إدارة الصراعات البينشخصية دون الشرب، ولديهم اعتقادات قوية بأن الكحول هو المتسبب في المشاكل الزواجية. أما عن المتغيرات الديمغرافية، فقد تبين أنهم أصغر عمراً، ومدة ارتباطهم بالزواج أقصر. ومن النتائج المدهشة أيضاً أن مدى عدم الرضى الزواجي لم يميز بين المجموعتين.

عدد كبير من الأزواج العنيفين ينطبق عليهم المعيار الطبي النفسي التشخيصي لاضراب الشخصية المضادة للمجتمع، فهم لا يهتمون بحياة الآخرين، ويقومون بسلوكات مثل: الاندفاعية، والعدوان والكذب (**Matlin, 2000**). كما يتفقون مع معايير الشخصية الحدية، وبالانسجام مع ميلهم لسمات الشخصية الحدية، فإن الأزواج العنيفين أكثر اعتماداً على زوجاتهم. ويرى بعض الباحثين أن الأزواج العنيفين اعتماديون انفعالياً، ومحتاجون للتفاعل البينشخصي، وهم يلجأون للعنف لمنع زوجاتهم من تركهم، أو نتيجة لغضبهم الشديد من حاجتهم غير المشبعة للتعلق (**Holtzworth-Munroe, *et al*., 1997**).

قام كروسمان **Crossman (1995)** بفحص العلاقة بين الاعتداء على النساء وبعض الصفات الشخصية مثل: الغضب، والمرض النفسي والاندفاع لدى الرجال. والهدف هو اختبار طريقة إدراك الرجال للعالم، وبناء الواقعية لديهم لتوفير الاستبصار حول ما يحدث قبل حصول العنف والاعتداء على النساء.

وقد قام (420) طالباً بالإجابة على عدة أدوات تقيس السمات الشخصية المذكورة سابقاً، وهذه الأدوات هي: استبانة العدائية تجاه النساء، ومقياس الاندفاعية لبارات **Barratt**، وقائمة التعبير عن الغضب، ومقياس للفصام.

أظهرت النتائج بأن الرجال الذين يحملون عدائية كبيرة تجاه النساء يتسمون بالمرض النفسي وشدة الغضب. علاوة على ذلك، فإن الرجال الذين يظهرون عدائية كبيرة جداً تجاه النساء يتسمون بالعدوانية، ويعبرون بشكل متكرر عن الغضب، وهم ذوو شخصية مضادة للمجتمع ومنحرفون. وهذه النتائج تدعم ما توصلت إليه البحوث السابقة التي درست العلاقة ما بين العدائية، والغضب، والانحراف. ويؤكد

كروسمان **Crossman (1995)** على فعالية الاستراتيجيات العلاجية التي تركز على تعليم إدارة الغضب، وتغيير الاتجاهات نحو النساء في تقليل حدوث العنف ضد النساء.

إن الزوج الذي يمارس العنف ضد زوجته لا يؤمن باستقلالية المرأة، ولا يحترم ذلك. وعندما يقوم بممارسة العنف ضد الزوجة أو أي فرد من أفراد الأسرة، فإنه يتصرف وكأن الزوجة والأولاد هم عبارة عن ممتلكات شخصية له **(Walker, 2000)**.

يعاني الأزواج الذين يمارسون العنف ضد زوجاتهم من شعور بالعزلة الاجتماعية، ونقص في الدعم الاجتماعي **(Browne & Herbert, 1997)**.

طبيعة شخصية المرأة المعنفة **Abused Woman**

المرأة المعنفة هي المرأة التي تتعرض للعنف على يد زوجها، ولا نعني بالضرورة أنها تتعرض لكافة أشكال العنف. وقد درس الباحثون صورة الزوجة التي تتعرض للعنف على يد زوجها، حيث ترى ويتزل وروس **Wetzel and Ross (1986) (P. 151)** أن صورة المرأة التي تتعرض للعنف تشتمل على ما يلي:

قبولها الأدوار الذكورية والأنثوية التقليدية.

مطيعة ومستسلمة ومن السهل السيطرة عليها.

قبولها للسيطرة الرجولية وأسطورة التفوق الذكري.

شعورها بأنه ليس لها حقوق إنسانية أساسية، كالحق في أن لا تضرب.

قبولها الشعور بالذنب، حتى عندما لا يكون هناك خطأ قامت بارتكابه.

تقبلها لواقع الشريك.

شعورها بوجوب مساعدة الرجل.

لديها حاجات قوية لأن يكون الآخرون محتاجين لها.

تقبلها لخطورة موقفها.

قناعتها أنه لا يمكنها عمل أي شيء إطلاقاً فيما يتعلق بموقفها.

تعتمد في تقييمها لذاتها على قدرتها على جذب انتباه الرجل.

لديها شكوك حول سلامة عقلها.

لديها تقدير ذات متدنٍّ.

حيث يتطور تقدير الذات من خلال الخبرات والمواقف التي يمر بها الفرد أثناء محاولته التكيف مع البيئة المحيطة. وتشير أغلب الدراسات حول موضوع العنف ضد المرأة، إلى أن النساء المعنفات يعانين من تقدير ذات متدنٍّ، مقارنة بالنساء غير المعنفات. ففي دراسة قامت بها هانسون **Hanson (1992)** حول العلاقة ما بين التعرض للعنف وتقدير الذات، حيث تم اختبار ثلاث مجموعات من النساء، مجموعة مكونة من (24) امرأة معنفة من مجتمع الملاجئ، ومجموعة مكونة من (44) امرأة معنفة من طالبات علم النفس ولا يقمن في الملاجئ، والمجموعة الثالثة مكونة من (113) امرأة غير معنفة. أشارت نتائج البحث إلى وجود فروق ذات دلالة في تقدير الذات بين النساء المعنفات وغير المعنفات، وكذلك بين النساء المعنفات في كلتا المجموعتين (مجموعة النساء المعنفات من الملاجئ، ومجموعة النساء المعنفات من طالبات علم النفس)، حيث أظهرت الدراسة أن النساء غير المعنفات يظهر لديهن مستوى عالٍ من تقدير الذات، مقارنة بالنساء المعنفات في كلتا المجموعتين.

كما وجد الباحثون عندما درسوا صفات المرأة المعنفة أنها تعاني من تقدير ذات متدنٍّ، حيث تشير المرأة المعنفة أنها عديمة القيمة والفائدة. وأكدت ويتزل وروس **Wetzel & Ross (1986)** أن الصورة السلبية التي تحملها الزوجة التي تتعرض للعنف على يد زوجها عن نفسها، هي نتيجة لظروف سيئة تعيشها، كقبولها سلطة الرجل عليها وتمسكها بالأدوار الذكورية والأنثوية التقليدية، وشعورها بأن ليس لديها حقوق إنسانية أساسية، كالحق في أن لا تضرب أو تهان، وقبولها الشعور بالذنب، حتى عندما لا يكون هناك شيء خاطئ قد فعلته.

ويظهر تدني تقدير الذات لدى المرأة المعنفة بشكل واضح أثناء تعامل الزوج معها بشكل سيء، وعندما تجد أن رأيها ليس مهماً، وأن مشاعرها وتقييماتها ليست محلاً للثقة. ويستخدم الزوج المسيء عادة أساليب تعمل على إضعاف استقلالية زوجته وثقتها بنفسها مثل: الإهانة، والتهديد، والهجوم، والتقليل من شأن الزوجة، ولومها على أي شيء يسير بشكل خاطئ، والنقد الشديد، وإطلاق ألقاب مهينة عليها، والتشكيك في ذكائها، وقدراتها، وأفكارها، وجمالها، ومظهرها، وأدائها الجنسي **(Davies, 1998)**.

كما أن الزوج يعزو حصول العنف إلى الزوجة، فهي التي تستجر العنف عندما تقوم بأعمال تستفزه وتجعله يعتدي عليها، ويتهمها أنها هي التي تسببت في العنف، فهي زوجة لا تعرف كيف تتعامل مع زوجها وغير مؤهلة لتكون زوجة وأماً ناجحة **(Matlin, 2000; Holtzworth-Munroe, *et al.*, 1997)**. وهكذا فإن الزوج يزيد من شعور الزوجة بتدني تقدير الذات، وأنها مهما حاولت أن تصنع فلن تحظ برضى زوجها. ويزداد شعور الزوجة باليأس وفقدان الأمل خاصة عندما تحاول كسر حلقة العنف، ولكنها لا تستطيع بسبب إصرار الزوج على استمرار التحكم والسيطرة عليها باستخدام العنف الجسدي أو النفسي أو الجنسي. وإن تكرار هذه المحاولات الفاشلة لوقف العنف يعزز شعورها باليأس والعجز، وينجم عن ذلك استسلام الزوجة والكف عن محاولتها كسر حلقة العنف.

ومن العوامل التي تؤثر في تقدير الذات لدى النساء المعنفات: -

الأبنية المعرفية لدى النساء المعنفات. يرى بيك **Beek (1967-1991)** أن الأبنية المعرفية تعني معتقدات وافتراضات الأفراد حول أنفسهم، والناس، والأحداث،

والبيئة. وتلعب الأبنية المعرفية دوراً في سلوك وحياة البشر (**Sharff, 1996**). فالنساء المعنفات يحملن أفكاراً سلبية تشكل أبنية معرفية لديهن، تجعلهن عرضة للاستمرار في تقبل الإساءة، ومن هذه الأفكار: "أنا أخطئ وأستحق الضرب"، "أنا المسؤول ةعما يحصل لي في هذه الحياة"، " إنها غلطتي". إن مثل هذه الأبنية تعزز تدني تقدير الذات لدى النساء المعنفات (**Carlson, 1997**).

طبيعة العلاقة مع الزوج. إن معاملة الزوج التي تتسم بعدم الثقة بمشاعر وآراء الزوجة، ولومها المستمر على حصول العنف، وافتراض نوايا سلبية وراء سلوكها معه، كل ذلك يسهم في تدني تقدير الذات لد بالمرأة المعنفة، حتى أن التعامل مع المشاكل البسيطة يصبح أمراً صعباً بالنسبة لها **(Holtzworth-Munroe, *et al.* 1997)**.

العوامل الاجتماعية / الأسرة وخبرات الطفولة. من أهم العوامل التي تسهم في تكوين شخصية الفرد ولها تأثير كبير في مجالات التوافق النفسي او سوء التوافق المختلفة للفرد؛ حيث يتأثر الأبناء بشكل كبير بالعلاقات الأسرية، والتي تلعب دوراً هاماً يسهم في تطوير تقدير الذات؛ إذ أن العلاقات الحميمة وأساليب الضبط والتنشئة والتأديب المناسبة ذات علاقة بتطوير تقدير ذات مرتفع لدى الأبناء. كما أن تماسك الأسرة ووجود الوالدين له أكبر الأثر في حياة الأبناء. والسعادة الزوجية تؤدي إل بتماسك الأسرة، وخلق جو يساعد على النمو النفسي السليم لأفرادها (عبده، 1994؛ الكوت، 2000).

ويتأثر مفهوم الذات وتقديرها إلى حد كبير بالعلاقات الأسرية بين الطفل ووالديه؛ فالفروق في الأجواء الأسرية وطرق التنشئة تحدث فروقاً بين الأطفال في مكونات الشخصية، وفي تقديرهم لأنفسهم، فالذكور تتم تنشئتهم بطرق تعزز

عدوانيتهم، وتدفعهم للتصرف بقسوة، ويبرر ذلك على أنه جزء من هوية الذكر. أما الإناث فتتم تنشئتهن بطريقة تعزز ضعفهن، وتشجع اعتماديتهن على الرجل، مما يؤثر على حياتهن مستقبلاً. كما أن الخبرات التي مرت بها المرأة المعنفة أثناء طفولتها، والمتعلقة بمشاهدة العنف يمارس ضد والدتها من قبل والدها، أو تعرضها للعنف على يد والدها، يجعلها عرضة في المستقبل لأن تكون ضحية للعنف من قبل الزوج **(Browne & Herbert, 1997; Stith, *et al.*, 2000)**. وتؤثر الصراعات الوالدية في تكوين تقدير ذات متدنٍّ **(Rice, 1992)**.

وفي دراسات أخرى ترى المرأة المعنفة نفسها على أنها غير كفؤة، ليس لها قيمة، غير محبوبة، وعديمة الفائدة، وليس لديها تحكم بحياتها الخاصة. تميل لأن تكون غير مؤكدة لذاتها في علاقاتها مع الآخرين، وأنها هي التي قالت أو فعلت شيئاً ما أغضب زوجها، وتحمل نفسها مسؤولية ما حصل. تلوم نفسها باستمرار، وتعيش في عزلة اجتماعية انفعالية، ولديها عدد قليل من المعارف والأصدقاء. تشعر بالولاء للزوج المعتدي، ولديها اعتمادية اقتصادية قوية على الزوج، وتتقبل العنف على أنه شيء عادي، ولديها توقعات غير واقعية حول أن الأمر سيصبح أفضل **(Browne and Herbert, 1997, P. 72)**. وترى واكر **Walker (2002)** أن العديد من النساء المعنفات كن ضحايا للعنف وهن صغيرات. وقد وجدت في دراسة قامت بها، أن اثنتين من ثلاث من النساء المعنفات اللواتي درستهن قد تعرضن للعنف وهن صغيرات، أو شاهدن آباءهن يمارسون العنف ضد أمهاتهن.

الاتجاهات نحو الإساءة للمرأة

Attitudes Toward the Abuse of Woman

لقد تعمق الاعتقاد بأن العنف الأسري جريمة حقيقية، وأن مشكلة الإساءة للمرأة ما زالت مهمة جداً، حتى بعد زيادة الاهتمام والرعاية اللذين تتلقاهما المرأة الآن. يذكر ستراوس ورفاقه(1997) **Straus *et al*.,** أن نسبة (20%) من العينة الأمريكية في سنة (1968) حول ضرب الزوج (صفع وجه الزوجة) انخفضت النسبة إلى (11%) عندما أعيد المسح سنة (1994)، ومع ذلك فنحن بحاجة لأن نعرف لماذا (1) من كل (11) من الأمريكان ما زالوا يعتقدون بحق الرجل في صفع زوجته.

يلعب الإعلام دوراً سلبياً في حصول العنف. مثلاً، من خلال التركيز على الصورة النمطية الجنسية (الأدوار الجنسية الذكرية والأدوار الجنسية الأنثوية)، وصورة الجسم، وكذلك دوراً إيجابياً من خلال عرض معلومات حول العنف الأسري في منتصف التسعينيات وآثاره السلبية على العائلة والمجتمع.

إن النساء لديهن اتجاهات سلبية نحو الإساءة أكثر من الرجال. وتلعب الأدوار الجنسية أثراً مهماً، فالناس الذين لديهم اتجاهات تقليدية نحو النساء يتعاطفون مع الرجال الذين يسيئون لزوجاتهم، بعكس الناس الذين ليس لديهم اتجاهات تقليدية نحو المرأة، فهم يلومون الرجل الذي يسيء لزوجته **(Matlin, 2000)**.

وفي مجتمعنا، فإن النظام الاجتماعي بمؤسساته الأمنية، والقضائية، والقانونية، تدعم الصمت تجاه ما يمارس ضد النساء؛ فمثلاً، يكون هناك عدم ارتياح لشكوى المرأة تجاه أية إساءة لها كبرت أم صغرت، فالمرأة التي تتعرض لإهانة

أو سلوك سيء في الشارع يقال إنها هي التي دفعته لذلك بطريقة مشيها او لباسها، وبهذا تتحول المرأة من ضحية إلى جانية .وهكذا لا يتم التعاطف مع شكواها (التل وآخرون، 1996).

ولا زالت الآراء مختلفة، فهناك من يعارض ممارسة العنف ضد المرأة ويعتبر ذلك امتهاناً لها ولإنسانيتها. وهناك من يشد على يد المعتدي معتبراً أن من حق الزوج أن يضرب زوجته، معللاً أنها تستحق ذلك، "فلولا سلوكها بتلك الطريقة لما ضربها زوجها". ولكن لحظة من فضلكم، لو تخيل كل واحد منا أن تلك الزوجة التي تتعرض للعنف أو الضرب المبرح هي ابنته، أو أخته، أو أمه، ترى هل سيكون رأيه وسلوكه بالطريقة نفسها؟! دعونا ننظر للأمر بعقلانية، دون إلقاء اللوم على الزوج أو الزوجة، ونعمل ما بوسعنا لمساعدة كل منهما ليعيشا حياة هانئة.

خرافات حول العنف ضد المرأة

هناك بعض الخرافات التي تتعلق بالعنف ضد المراة ومنها: -

المرأة المعنفة هي التي تطلب أن تضرب: إن اللوم على حصول العنف يقع على سلوك المرأة. وتروي ماتلين (**Matlin (2000, p503** أن طالبة في مساق علم نفس المرأة ذكرت مثالاً وصفت فيه إساءة للزوجة لمجموعة من الأصدقاء: إن رجلاً جرح زوجته بشكل واضح لأن الغداء لم يكن جاهزاً عندما عاد إلى البيت، عندها قال زميل في المجموعة: "نعم عليها أن تحضر الطعام في الوقت". إن هذا شائع بين الرجال، فهم يفترضون في المرأة أن تعد الطعام فور حضورهم، وفي حالة عدم حصول ذلك، ينفعل ويغضب.

النساء المعنفات يمكنهن الترك،/ وإلا حقيقة فهن يردن الإساءة. إن ذلك يتجاهل العوامل العملية والشخصية والتي تمنع المرأة من الترك، فمثلاً قد تشعر المرأة بالحب نحو الرجل المسيء، فقد يصبح الرجل لطيفاً بعد الإساءة.

أيضاً العوامل العملية، فمثلاً قد لا تعرف أين ستذهب، وربما ليس لديها نقود أو لا تستطيع الترك، ثم إن الزوج قد يصبح أكثر عنفاً عندما تقرر المرأة أن تترك العلاقة.

إن النساء يستمتعن بصدمة أن يكن معنفات؛ أي أن سبب بقاء النساء في الظروف السيئة والتعرض للعنف هو استمتاعهن به. ولكن في الحقيقة لا توجد أدلة تؤكد هذا الكلام، فالنساء لا يستمتعن بالعنف (**Matlin, 2000**).

دينامية العنف **The Dynamics of Violence**

إن المرأة **لا** تتعرض للعنف بشكل مستمر، وإنما يحصل العنف على شكل حلقة. وتتألف حلقة العنف من ثلاث مراحل: -

مرحلة التوتر والشد.

مرحلة حصول العنف.

مرحلة الحب.

في مرحلة التوتر والشد، فإن العنف الجسدي يكون قليلاً، لكن العنف اللفظي والتهديد يزيد من العنف، وتقوم المرأة بمحاولات من أجل تهدئة الزوج،

وربما تحاول ضبط عنفه من أن يتفاقم، عن طريق توقعها لما سيقوم به، ومع ذلك فإن التوتر يستمر.

عندما يصبح التوتر مرتفعاً، فإن الزوج المسيء يستجيب بطريقة عنيفة وحادة، وتعتبر العلامة المميزة لهذه المرحلة هي، أن المرأة ستعيش خبرة العنف الجسدي الشديد.

في المرحلة الثالثة، فإن التوتر الذي ساد في كلتا المرحلتين السابقتين يختفي ولا يعود للظهور، ويصبح الزوج العنيف لطيفاً ومحباً، ويقوم بالاعتذار والتأسف عما بدر منه من عنف، ويعد أن لا يكرر ذلك ثانية، ويتوسل من أجل أن تسامحه زوجته، ويجعلها تشعر بالذنب إذا فكرت بترك العلاقة. وفي الحقيقة، قد تنسى الزوجة ما حصل معها في المرحلتين السابقتين من توتر وألم وعنف. ولكن لسوء الحظ أن ما يحصل هو أن حلقة العنف تعيد نفسها، لكن للأسف بشكل أكثر شدة وخطورة.

الفصل الثالث

النظريات التي فسرت العنف

الفصل الثالث

النظريات التي فسرت العنف

مقدمة

لقد اختلفت النظريات في تفسيرها لحصول العنف، فالتحليلية ترى أن العدوان أوالعنف سلوك غريزي، والسلوكية ترى أن العنف يتعلمه الفرد كما يتعلم كافة أشكال السلوك الأخرى. أما المعرفية، فقد ركزت على أثر الأفكار والمعتقدات، وكيفية تفسير الفرد للمواقف في حصول العنف.

وحقيقة أن العنف لا يأتي من فراغ، وهذا ما أكدته جميع الدراسات التي أجريت حول سلوك العنف. حيث أكدت دراسات عدة على أثر البيئة والتنشئة الاجتماعية في حصول العنف. وتناولت دراسات أخرى دور الوراثة والعوامل البيولوجية. ودراسات أخرى أيضاً ركزت على وجود عوامل تدفع الفرد للقيام بالعنف. ولكن مهما اختلفت نتائج البحوث والدراسات لها تجمع على وجود العنف.

في هذا الفصل سوف أعرض بشكل موسع تفسير النظريات المختلفة للعنف: التحليلية، والسلوكية، والتعلم الاجتماعي، والإنسانية، والمعرفية.

النظريات التي فسرت العنف

التحليل النفسي. يرى التحليليون أن العدوان يرجع إلى أن لكل فرد غريزة لا شعورية هي غريزة الموت، وتتضمن الرغبة في تدمير الذات. ولأن الشخصية التي تتمتع بصحة نفسية لا تقوم بتدمير ذاتها، فإن هذا الاندفاع يمكن أن يتحول بطريقة لا شعورية نحو الخارج، أي نحو الآخرين عبر العدوان والعنف ضد الآخرين. ولكن فيما بعد اتجه بعض التحليليون إلى الإحباط لتفسير العدوان، حيث يرون أن العدوان يحدث كنتيجة لفشل أو قمع محاولاتنا التي تهدف إلى إشباع حاجاتنا أو تحقيق رغباتنا (جبريل، 1992).

لقد صنف فرويد الدوافع الغريزية إلى نوعين من الدوافع: دافع الحياة، ودافع الموت أو التدمير (الدافع العدواني). ويرى فرويد أن هدف الدافع العدواني هو دفع الكائن الحي نحو الموت، والعودة به إلى حالة السكون الأولية. ويؤكد فرويد أن العدوان عبارة عن طاقة تبنى في داخل الفرد، وتعبر عن نفسها خارجياً على شكل عدوان على الآخرين والممتلكات، أو داخلياً على شكل تدمير الذات. ووفقاً لذلك يمكن فهم العدوان بشكل مفصل أنه كل سلوك ينطلق من الداخل إلى الخارج، وليس بالضرورة أن تكون إنجازات الدافع العدواني إنجازات هدامة ما دام بقي مسيطر عليه من قبل دوافع الحياة (رضوان، 2002).

ويرى فرويد أن كل إنسان يخلق ولديه نزعة نحو التخريب، ويجب التعبير عنها بشكل أو بآخر، فإذا لم تجد هذه الطاقة منفذاً لها إلى الخارج (البيئة)، فهي توجه نحو الشخص نفسه. وكما أن العدوان طاقة لاشعورية داخل الإنسان، لذا لا بد

أن يعبر عنها سلوكياً. وحتى يتم ذلك، لا بد من وجود إثارة خارجية تجعل الطاقة العدوانية الغريزية أن تعبر عن نفسها، وقد يكون العدوان: -

مباشراً **Direct Aggression**: أي سلوك موجه نحو مصدر التهديد أو الإثارة بشكل مباشر.

عدواناً بديلاً **Substitute Aggression**: أي سلوك موجه نحو مصادر بديلة لمصدر الإثارة في حالة تعذر الاعتداء عليه.

عدواناً خيالياً **Fantasy Aggression**: وذلك من خلال مشاهدة أفلام العنف والجريمة، والتوحد مع شخصية المعتدي (الخطيب، 1989).

ومن أهم الانتقادات الموجهة لنظرية فرويد في الدافع العدواني أن مفاهيمها غير قابلة للتحقق العلمي؛ ففرضية أن كل سلوك يستهلك الطاقة العدوانية والليبدوية من الصعب برهانها. والأهم من ذلك، فإن هذه الافتراضات غير مفيدة علاجياً، فهي لا تساعد المعالج على وضع خطط علاجية فعالة (رضوان، 2002؛ الخطيب، 1989).

نظرية لورينس في العدوان. ليس فقط التحليليون هم من اعتبروا أن العدوان دافع فطري، بل هناك علماء الأجناس، ومنهم لورينس **Lorenz**. حيث يفترض أن الطاقة العدوانية تعمل بصورة مستمرة ومتجددة، ومن هنا فلا بد من تفريغ هذه الطاقة عبر مثيرات التفريغ (كالقيام بعدوان مباشر أو عدوان غير مباشر). وفي حالة عدم وجود هذه المثيرات واستمر ذلك فترة طويلة، يحدث ما يسمى بردود فعل

العطالة؛ أي حدوث عدوان دوري دون وجود مثيرات خارجية معروفة تثير هذا الدافع. تلاحظ ردود فعل العطالة هذه لدى الحيوانات المفترسة.

أما بالنسبة للإنسان، فإن ممارسة العدوان لإشباع الدافع العدواني ليس أمراً سهلاً، فما تحتمه الحياة الاجتماعية من ضرورة الالتزام بالعادات وتقاليد المجتمع وقوانينه تمنع الفرد من تفريغ الطاقة العدوانية لديه، وهذا المنع يمكن أن يؤدي إلى اضطرابات في الصحة النفسية والجسدية، ولكن هذا لا يحصل لدى كل الأفراد دائماً. ويفسر لورينس ذلك من خلال نظرية التنفيس، التي تقول أن تفريغ العدوان من خلال القيام بأعمال سلوكية عدوانية غير مؤذية، تؤدي إلى خفض الطاقة، ومن ثم تخفيض القيام بأفعال عدوانية شديدة. ويتم التنفيس من خلال الاعتداء على مصدر بديل أو من خلال الألعاب والتمارين الرياضية.

نظرية العدوان الناتج عن الإحباط. لم يتفق الكثير من علماء النفس مع فرويد على أن العدوان غريزة فطرية، وإنما افترضوا أن العدوان عبارة عن دافع مرتبط مع الإحباط الناجم عن عدم القدرة على تلبية الحاجات، وأن التعبير عن العدوان يؤدي إلى خفض التوتر الناجم عن الإحباط. فقد صاغ كل من دولارد وميلر (1939) ما يسمى بفرضية الإحباط العدوان، والتي تقول أن كل إحباط يقود إلى عدوان، وكل عدوان يسبقه إحباط، وكلما ازداد الإحباط وتكرر حدوثه، ازدات شدة العدوان.

يختلف الأفراد في درجة تحملهم للإحباط وإدراكهم له. وتلعب التنشئة الاجتماعية دوراً كبيراً في تعليم الفرد تحمل الإحباط الناجم عن عدم إشباع الدوافع. ويعتبر الإحباط قصير الأمد مفيداً وفاعلاً، ويعمل كقوة دافعة للفرد تساعده على

إزالة العوائق سواء كانت خارجية أم داخلية. ويمكن أن يؤدي الإحباط إلى اتخاذ موقف دفاعي يشوه الواقع، ولا يرى الأسباب الحقيقية التي تقف وراء قشل الفرد في تحقيق أهدافه أو تلبية حاجاته. وفي الحالات المتطرفة من الإحباط قد يحدث النكوص، وقد يقود الإحباط إلى العدوان.

وإن أهم انتقاد واجهته هذه النظرية أن الإنسان قد يقوم بالسلوك العدواني دون أن يكون قد تعرض إلى الإحباط، وكذلك أن الأفراد يختلفون في ردة فعلهم تجاه الإحباط؛ فقد لا يقوم الإنسان بالسلوك العدواني حتى لو تعرض إلى إحباط (عدس وتوق، 1985؛ الخطيب، 1989؛ رضوان، 2000).

ويعرف الباحثون الإحباط على أنه خبرة مؤلمة تنتج عن عدم مقدرة الإنسان على تحقيق هدف ضروري له. وبعد ذلك بفترة قصيرة أكد ميلر أن الإحباط ينتج عن عوامل عديدة، وأنه لا يؤدي بالضرورة إلى العدوان، واقترح أن حدوث العدوان يعتمد على استعداد الفرد للعدوان وعلى تفسيره لموقف الإحباط ومصادره.

أما بيركونز، وهو من أتباع نظرية الإحباط - العدوان، فيقترح أن العدوان محصلة الغضب، وأن أسباب الغضب الإنساني كثيرة، ومنها: الإحباط، والإهانة، والظلم، والجوع، وغير ذلك. وهذا يعني أن الإحباط لا يؤدي بالضرورة إلى السلوك العدواني، وإنما الإحباط يؤدي إلى الغضب، مما يجعل الإنسان مستعداً لأن يمارس السلوك العدواني.

الاتجاه الإنساني. إن أنصار الاتجاه الإنساني ينكرون مسألة الاستعداد للعدوان، ويرون أن الناس خيرون، ويكونون أكثر إنسانية ومسالمة إذا وفرت البيئة الشروط المشجعة على النمو السوي. ويرون ان المشكلات تحدث عندما يتدخل عائق

في طريق عملية النمو السليم. فالأطفال العدوانيون يأتون من بيوت أحبطت حاجاتهم الأساسية، فإذا طور الطفل صورة سلبية عن الذات، فإنه يمكن أن يصطدم مع الآخرين نتيجة للإحباطات. ويكون الحل بتوفير بيئة تتصف بالثقة والقبول.

الاتجاه السلوكي. يرى أنصار النظرية السلوكية أن الناس يتعلمون العدوان بالطريقة نفسها التي يتعلمون بها أنواع السلوك الأخرى. فقد يكون العدوان نتيجة تعزيز ما، فالسلوك الذي يكافأ يتكرر في مواقف أخرى، فإذا كوفئ سلوك الطفل العدواني، فإن النتيجة ستكون هي راشد عدواني في المستقبل.

فالطفل الذي يحصل على ما يريد، كالحصول على لعبة ما، أو أن ينال إعجاب أقرانه إثر قيامه بسلوك عدواني فهو بذلك يحصل على تعزيز إيجابي يقوده إلى أن يكرر ما قام به في المستقبل في المواقف المشابهة، وأن يتعلم أن السلوك العدواني هو الذي جعله يحصل على ما يريد.

نظرية التعلم الاجتماعي. ترى نظرية التعلم الاجتماعي أن السلوك العدواني ككل مركبات السلوك الأخرى، هو سلوك يمكن تعلمه من خلال إجراءات الإشراط الكلاسيكي، والإشراط الإجرائي، والتعلم وفق النموذج، وذلك عن طريق تقليد نماذج عدوانية، سواء كانت النماذج حية أي مباشرة، أو غير مباشرة (عدس وتوق، 1985؛ رضوان، 2000).

ويؤكد نموذج التعلم وفق النموذج أنه ليس بالضرورة للأطفال أن يمارسوا السلوك العدواني، وان يتم تعزيزهم سلباً أو إيجاباً حتى يتم ترسيخ السلوك، وإنما يكتفي برد ملاحظة هذا السلوك عند الآخرين من أجل ترسيخه، وتتم ممارسته من قبل الطفل.

وقد برهن باندورا وفالترز (1963) Bandura & Walters أن العدوان الذي يظهر في سلوك الأطفال أثناء اللعب والذي يؤدي إلى امالاك لعبة ما (تعزيز)، يزيد من احتمالية السلوكات العدوانية للمعتدي، كما أن تعزيز نموذج يتم مراقبته من قبل الكبار والصغار في سلوكه العدواني يزيد من االاحتمالية سلوك الطفل بشكل عدواني (رضوان، 2002) ويمكن تلخيص نتائج البحوث التي أجراها أتباع نظرية التعلم الاجتماعي حول العدوان كما يلي: -

1. يتعلم الإنسان العدوان من خلال ملاحظة النماذج العدوانية. فالأطفال يتأثرون إلى درجة كبيرة بسلوكات والديهم ومعلميهم وزملائهم. وفي ضوء النتائج التي تمخضت عنها الدراسات المستندة إلى نظرية التعلم الاجتماعي يفترض الباحثون أن وسائل الإعلام (كالتلفزيون مثلاً) قد تكون مسؤولة إلى حد كبير عن انتشار العدوان لدى الأطفال، يزيد احتمال تقليد الإنسان للنماذج العدوانية عندما يكون النموذج ذا مكانة.
2. اجتماعية مرموقة، وعندما يلاحظ أن النموذج يكافأ على عدوانه، أو عندما يلاحظ أنه لا يعاقب على ذلك السلوك.
3. يتعلم الإنسان أن يسلك على نحو عدواني عندما تتاح له الفرصة لممارسة العدوان، خاصة إذا ترتب على تلك الممارسة مكافأة ما.
4. تزيد احتمالات قيام الإنسان بالعدوان عندما يتعرض لمثيرات مؤذية (مثلاً عندما يؤذي جسدياً أو عندما يهدده الآخرون). وهو قد يتعلم من خلال مشاهدته للآخرين، أو من خلال الممارسة ان باستطاعته الحصول على ما يريد بالعدوان.

5. عديدة هي العوامل التي تجعل الإنسان يستمر بالسلوك على نحو عدواني، ومن تلك العوامل: التعزيز الخارجي (المكافأة الاجتماعية، أو التخلص من المثيرات المبغوضة، أو تعبير المعتدى عليه عن المعاناة)، والتعزيز الذاتي (تهنئة الإنسان لنفسه، أو ازدياد ثقته بنفسه نتيجة نجاحه في العدوان).

كذلك فالعمليات العقلية التي تبرر الأفعال العدوانية قد تعمل على استمرار العدوان؛ فالإنسان قد يحمل الآخرين المسؤولية (كقول هو الذي أرغمني على ذلك، أو هو الذي ابتدأ بالمشاجرة)، أو قد يقلل من شأن الشخص المعتدى عليه (كقول أنه شخص دنيء ... إلخ).

6. قد يزيد العقاب من احتمالات حدوث العدوان؛ فالعقاب قد يعمل بمثابة نموذج للعنف. فالبحوث العلمية تشير إلى أن أنماط التنشئة الأسرية قد تكون العامل الحاسم في تولد العدوان واستمراريته لدى الأطفال؛ ففي كل من الدراسات التي أجراها سيرز وزملاؤه **Sears *et al.* (1957)** وباندورا وفولترز **Bandura & Walters (1959)** تبين أن هناك علاقة بين عدوانية الأطفال من جهة، ومدى استخدام والديهم للعقاب. وفي دراسة أخرى أطلق عليها اسم دراسة كامبردج، وجد فارينغتون **Farrington (1978)** أن الأطفال العدوانيين يأتون من أسر تتصف باستخدامها للعقاب، وبوجود خلافات كبيرة بين الوالدين(الخطيب،1989).

ولقد أكدت العديد من الدراسات أن من أسباب سلوك الزوج بشكل عنيف تجاه زوجته، هو ان هذا الزوج قد عاش طفولة يسودها العنف؛ أي أن والده قد مارس العنف ضد والدته في السابق، أي أنه قد شاهد العنف يمارس أمامه، مما دفعه

لأن يصبح زوجاً عنيفاً في المستقبل، وكأنه قد تعلم بالتقليد أن يعالج مشاكله مع زوجته بالعنف.

وقد أشار باندورا **Bandura (1977)** إلى إمكانية تعلم العنف من خلال الملاحظة، وبين أن تعلم العنف يتأثر بجنس النموذج، حيث يتعلم الابن سلوك العنف من والده. وهذا ما أكدته ستث وآخرون **Stith *et al.* (2000)**؛ حيث أن الأطفال يتأثرون بمشاهدة الإساءة لأمهاتهم، وقد يؤثر ذلك عليهم بأن يصبحوا في المستقبل ممارسين للعنف على زوجاتهم، أو أن يصبحوا هم أنفسهم ضحايا للعنف. فقد قامت ستث وآخرون **Stith *et al.* (2000)** بعمل بعمل تحليل حول النقل المتبادل عبر الأجيال لعنف الشريك؛ حيث توصلوا لدعم الفرضية القائلة أن النمو في عائلة مسيئة يؤدي إلى علاقة زوجية يسودهل العنف، حيث يتعلم الأطفال كيف يتصرفون من خلال خبرة كيف يعاملهم الاخرون، أو عن طريق مراقبة تعامل آبائهم مع الآخرين. إن نقل سلوك العنف يعتقد أنه يحدث عن طريق الاقتداء والتقليد. ويتأثر الذكور والإناث بشكل مختلف، فتميل الإناث لأن يكن ضحايا للعنف في المستقبل، بينما يميل الذكور لأن يكونوا مسيئين. وربما يعود السبب إلى أن الأطفال يقتدون بآبائهم من الجنس نفسه؛ فالأولاد الذكور يتعلمون دور المسيء عندما يعاملهم آباؤهم بشكل سيء، أو عندما يشاهدون آباءهم يضربون أمهاتهم، والفتيات يتعلمن أن يكن ضحايا للعنف إثر مشاهدة أمهاتهن في هذا الدور.

الاتجاه المعرفي. أما المعرفيون فيركزون على الطريقة التي يحلل بواسطتها العدوانيون المعلومات ويعالجونها. مثال على ذلك، تخيل أنك تسير وحيداً عبر حديقة، وتخيل وجود اثنين من الأولاد المراهقين يسيرون خلفك على بعد ثلاثين قدماً

واقتربوا منك، فما هي ردود أفعالك؟ ربما أن الأولاد في عجلة للوصول إلى مكان ما، وربما هم أكثر سرعة في طريقتهم في المشي من طريقتك، وربما أسرعوا للوصول إليك ليسألوك عن اتجاه معين، أو ربما يريدون الإساءة لك. إذاً هناك احتمالات كثيرة للتفسير. ويرى المعرفيون أن كيفية الاستجابة للموقف تعتمد على كيفية تفسير الموقف، فقد يكون التفسير للموقف أنه مهدد أو محايد. وبالتالي استناداً إلى هذا التفسير ستستعد إما للقتال، أو أن تحيد عن الطريق قليلاً، أو تهرب. والمهم في الأمر أن بعض الناس لديهم نزعة أكثر من الآخرين لتفسير الأمور الغامضة على أنها مهددة، وهنا يكون لديهم نزعة عنف وعدوان أكثر في ردود أفعالهم (جبريل، 1992).

وفيما يتعلق بموضوع العنف ضد المرأة، فإن ما يدور بذهن الزوج من تفسيرات لسلوك الزوجة نحوه قد يقوده إلى استعمال العنف ضدها. فمثلاً، قد يفسر الزوج تأخر زوجته في إعداد الطعام على أنه تأخر مقصود، والهدف منه إزعاجه واستفزازه، مما يدفعه إلى إثارة جدال قد ينجم عنه حصول العنف. بينما حقيقة الأمر أن انشغال الزوجة بأمور تتعلق بأطفالها ربما هو الذي أدى إلى تأخرها في إعداد الطعام.

وسأعرض الآن مثالاً فعالاً، فالزوجة التي يتأخر زوجها في العودة مساء إلى البيت دون أن يخبرها أو يتصل بها هاتفياً، نجدها تضع تفسيرات وافتراضات مختلفة وتدور بذهنها أفكار عديدة تقودها إلى المرور بمعاناة انفعالية. مثلاً، قد تقول لم لم يتصل بي ويخبرني أنه سيتأخر، إنه لا يحبني، هو دائماً لا يهتم بمشاعري، أعرفه هو الآن مستمتع وأنا قلقة عليه، عندما يعود سوف أتشاجر معه، سوف أنام وأهمله ...

إلخ. وهذه الأفكار تقودها إلى الشعور بالضيق والانزعاج لإهماله، أو الشعور بالقلق عليه أو بالحقد... مع أن الزوج في حقيقة الأمر ربما لم يتمكن من إخبارها أن صاحب العمل طلب منه أن يداوم ساعة إضافية. وعندما يعود متعباً إلى المنزل تحدثه بصوت مرتفع وبغضب، لقد جعلتني أبدو كالمجنونة لتأخرك، فأنت لم تخبرني بذلك. وقد ينجم عن هذا الموقف أيضاً حصول جدال ربما يؤدي إلى العنف.

وهكذا نرى أن تحليل الفرد للموقف، والتفسيرات المختلفة التي يضعها الفرد لسلوك الآخرين، ربما تقوده إل التصرف معهم بعدوانية، خاصة إذا افترض أنهم يقصدون الإساءة إليه.

وبالعودة إلى السابق، فإن العديد من الأزواج يغضبون إذا لم يخبرهم الطرف الآخر، أو لم يهاتفهم في مواقف مشابهة. في حين أن هناك أزواجاً آخرين لا يغضبون، فقد يشعرون بالاهتمام بالأمر، وربما يبدي آخرون اعتراضهم فقط.

الفصل الرابع
المخاطر الناجمة
عن عنف الزوج

الفصل الرابع

المخاطر الناجمة عن عنف الزوج

مقدمة

تتعرض الزوجة لمخاطر عديدة في حالة كونها ضحية من ضحايا عنف الزوج. ولا تقتصر هذه المخاطر على إلحاق الأذى الجسدي بها بكل ما يشمله من ضرب، وتكسير، وظهور كدمات، وآثار حرق ... إلخ. بل هنالك مخاطر تشتمل معاناة المرأة المعنفة من الألم النفسي، ووقوعها فريسة للتحقير والإهمال والتصغير من قبل الزوج المعنف، مما يجعلها عرضة للإصابة بالأمراض والصدمات.

ويصبح الأمر أكثر سوءاً وإيلاماً عندما ينضم الطفل لوالديه كضحية إضافية للعنف، خاصة عندما يهرع محاولاً مساعدة أمه أو الدفاع عنها. وحتى إن لم يتعرض الطفل للعنف، فتكفي خبرة مشاهدة أمه التي يحب وهي تتعرض للضرب والإهانة لكي تجعله يشعر بالألم والعجز، وتغرس في نفسه معتقداً ويؤمن به، وهو أنه لا مكان إلا للقوي ولا تحل المشاكل إلا بالعنف.

ليست هذه هي المخاطر فحسب، بل هنالك مخاطر أخرى تشتمل فقدان العلاقة، وتفكك أسرة سعى كل من الزوج والزوجة لتكوينها كحلم من أحلامهما في فترة الخطوبة.

وهناك مخاطر أخرى سأقوم بعرضها بالتفصيل خلال هذا الفصل، موضحة مدى الخسارة التي قد تلحق بالزوجة، وأطفالها، وعائلتها، إثر تعرضها لعنف الزوج.

المخاطر الناجمة عن عنف الزوج **Husband Violence-Generated-Risks**

يمكن تقسيم المخاطر الناجمة عن العنف والتي حددتها النساء المعنفات كجزء من تحليلهن للخطر إلى سبعة فئات واسعة: -

الجروح الجسدية **Physical injuries**.

الألم النفسي **Psychological harm**.

الخطر الذي يشمل الأطفال **Risks involving the children**.

مخاطر مادية **Financial risks**.

مخاطر متعلقة بالعائلة والأصدقاء **Risks to or about family and friends**.

فقدان العلاقة **Loss of relationship**.

مخاطر الاعتقال أو الوضع القانوني

Risks involving arrest or legal status.

وفيما يلي توضيح للنقاط السابقة: -

الجروح الجسدية **Physical injuries.**

من أكثر المخاطر وضوحاً لدى النساء المعنفات وتشمل كدمات في الوجه والجسم، العيون، كسر العظام. فالزوج العنيف يستعمل مدى واسعاً من الهجوم الجسدي لضبط زوجته ويشمل ذلك دفعها، صفعها، ركلها، لكمها، سحبها من شعرها، حرقها، استعمال أدوات لضربها، اسعمال الصلاح مثل البنادق والسكاكين للتهديد أو إيلامها، ومحاولة قتلها، الهجوم الجسدي يشمل العنف الجنسي. وتواجه المرأة مدى من المشاكل الجسدية الثانوية المرتبطة بالاعتداء مثل الصداع، الدوار، وقلة النوم.

تهتم النساء المعنفات فيما إذا كان ترك العلاقة الزوجية سيزيد أو يقلل من العنف الجسدي والجنسي، بعض الضاربين يوضحون لزوجاتهم أنهم سوف يجدونهن (في حالة الترك أو الفرار) ويؤذونهن أو يحاولون قتلهن.

إن العنف الجسدي واسع الانتشار ومتنوع في الشدة وغالباً ما يتكرر من المسوحات الوطنية المعلنة الأكثر انتشاراً، ففي أمريكا وجد **Straus and Gelles** أن أكثر من 11% من النساء اختبرن بعض أشكال العنف على أيدي أزواجهن خلال السنة السابقة للمقابلة، 30% من النساء اختبرن ما أسماه الباحثون العنف الشديد (الركل، الضرب بأداة، العض، التهديد، أو الإيذاء بالأسلحة) خلال نفس الفترة.

أكدت المسوحات أيضاً أن العنف الجسدي يتكرر عند هؤلاء اللواتي ذكرن أي اعتداء جسدي 19% ذكرن يوجد حادثتين، 26% ذكرن 3 أو 4 حوادث، 32% ذكرن خمسة أو أكثر من نوبات العنف **(Davies, 1998 pg. 24).**

في عام (1994) فإن 28% من ضحايا القتل من النساء تم قتلهن على أيدي أزواجهن، أصدقائهن، مطلقين **ex-husbands** علاوة على ذلك فإن تحليل المعلومات حول الـ 20 عام الماضية أظهرت أن معدل النساء المقتولات من قبل أزواجهن بقي ثابتاً.

إن النساء اللواتي يختبرن الهجوم الجسدي يأخذن بعين الاعتبار العنف المهدد للحياة، فبعض النساء يعتقدن أن أزواجهن سوف يقتلونهن، لهذا يكنَّ دائما في حذر شديد لسلوكات أزواجهن، وربما في الوضع الأفضل يحددن الخطر بأنهن سوف يقتلن، أو سيتم إصابتهن بجروح حقيقية **(Davies, 1998)**.

الصورة العامة تتجاهل الخطر الجسدي الحقيقي المختبر من قبل النساء بعد ترك العلاقة، ما أسماه ماهوني (1991) **Mahuny** إعتداء الانفصال **separation assault**، إن الإقدام على خطوة ترك العلاقة لا يعني أن العنف سوف يتوقف، على سبيل المثال في المسح الذي أجري عام (1993) على العنف الكندي نحو النساء تبين أن 19% من الزوجات المنفصلات أسيء لهن جسدياً من قبل مطلقين خلال فترة الانفصال، 35% منهن ذكرن أن أزواجهن قد زادوا من العنف بعد فترة الانفصال **(Davies, 1998 pg. 25)**.

في دراسة أرندل (1995) **Arnedell** حول الرجال المطلقين وجد أن 40% اعترفوا أنهم هددوا أن يصبحوا عنيفين تجاه زوجاتهم السابقات بعد انتهاء الزواج. يبدو واضحاً أن ترك العلاقة لا يعني بالضرورة إنهاء العنف.

حالة ليندا **Lenda's case:** -

ليندا تزوجت من فرانك منذ 4 أعوام، فرانك يعمل مشرف في مصنع محلي، هو لا يدع ليندا تعمل أو تخرج مع أصدقائها، يعود من العمل عادة غاضب ويجلس أمام التلفاز ساعات ولا يتحدث مع أحد، إذا وجد ليندا لا تعيره اهتمام أو تنشغل بمتطلبات المنزل يلكمها في وجهها أو صدرها، هو يقول أنه يحاول تعليمها درساً لتكون زوجة جيدة، بعد ذلك يعتذر فرانك لليندا لأنه سبب لها الأذى ثم يصر على أن يمارسها الجنس، ليندا أخبرت فرانك أنها ستتركه إذا لم تتحسن الأمور بينهما، فرانك سخر منها وقال لا تستطيع عمل ذلك وأنها ستعود يوماً ما، ليندا غادرت لأي مكان وذهبت لبيت أحد الأصدقاء، فرانك تبعها ووقف أمام المنزل وصرخ : "إنه سوف يقتل نفسه إذا لم تخرج لتتحدث معه"، ليندا ذهبت لتهدئته، هو صرخ: "عودي معي الان، إن لم تكوني لي لن تكوني لأحد" **(Davies, 1998 pg.26)**.

الألم النفسي **Psychological harm.**

الأزواج العنيفون يستعملون وسائل مختلفة لإضعاف الثقة بالنفس لدى زوجاتهم والاستقلالية لديهن، هذه الوسائل تشمل الإهانة، التهديد، الهجوم، التقليل من شأنهن، لومهن على أي شيء يسير بشكل خاطيء، النقد الشديد، يطلقون عليهن أسماء مهينة، يتساءلون حول ذكائهن، قدراتهن، أفكارهن، أجسادهن، قدراتهن أو أدائهن الجنسي.

وسيلة أخرى هي عمل كل القرارات في العائلة، منع المرأة من حضور الأحداث المهمة، مثلاً كأن يمنع المرأة من زيارة جدتها في المستشفى، قد يستعمل بعض الأزواج العنيفين اعتبارات الصحة النفسية لزوجاتهم لضبطهن أكثرن فربما يخبر زوجته أنها مجنونة ووالدة سيئة ويقلل من قيمة أفكارها وأدائها ويصبح وحده يضع القرارات في العائلة، وربما يلح على زوجته لتناول مواد مخدرة معه، ويضعف أية محاولات تستعمل للتوقف عنها.

إن تحليلات الخطر للصحة النفسية للمرأة تشمل البقاء أو ترك العلاقة، إذا شعرت انها "مجنونة" عندما تكون حول زوجها فإن تركها له يقلل من هذا الشعور، وإذا كانت مدمنة على الأدوية أو الكحول فإنها ستبقى تواجه هذا الإدمان سواء وجد الزوج أم لا، وبرغم ذلك فإن تركها له هو خطوة ضرورية نحو الشفاء.

إن الخطر النفسي الناجم عن سلوك الزوج العنيف لا ينقطع بترك العلاقة مثال المرأة المعنفة التي تختبر القلق والاكتئاب لأن زوجها ضربها عدة مرات، تركت العلاقة ولكن زوجها يعرف اين تعمل، ذهب وأخبرها أنت ما زلت تتبعين لي، وأنا أستطيع امتلاكك وقتما أريد". إن الترك لا يزيل إكتئابها أو قلقها.

من المخاطر النفسية التي تواجهها النساء عندما يتعرضن لعنف الزوج، ما يوصف كنتائج مباشرة للعنف الجسدي وتشمل الخوف، نقص الضبط على الأحداث، الاكتئاب، عدم القدرة على التنبؤ بسلوك الزوج، الضغط، اليأس، القلق، الخجل، إنخفاض تقدير الذات، إساءة استعمال المواد والكحول.

معظم الدراسات وجدت علاقة بين تكرار وشدة الإساءة وبين المعاناة النفسية مستعملين واحدة من أضخم العينات (30002) فقد وجد جلز وهاروب

Harrop & Gelles (1989) أن النساء اللواتي اختبرن العنف والإساءة ذكرن مستويات أعلى من المعاناة مقارنة بأولئك اللواتي لم يختبرن العنف. وتشير الأبحاث أن النساء اللواتي اختبرن إساءة نفسية أو جسدية من أزواجهن فإنهن يتأثرن إنفعالياً به لدرجة ما بقدر ما يكون العنف شديداً، ومتكرر الحصول، ومدته أطول، بقدر ما يكون التأثر الإنفعالي قوياً. وقد تكون المخاطر النفسية على شكل: -

اضطراب ضغط ما بعد الصدمة Posttraumatic Stress Disorder: -

هذا وتشير معظم الدراسات إلى وجود علاقة ما بين تكرار وشدة الإساءة وما بين شدة المعاناة النفسية؛ فقد وجد هوسكامب وفوي **Houskamp & Foy (1991)** أن (60%) من النساء اللواتي اختبرن مستوى عال من التهديد لحياتهن أظهرن أعراض ضغط ما بعد الصدمة مقارنة بـ (14%) فقط ممن يتعرضن لمستوى منخفض من التهديد لحياتهن.

كذلك قام كمب وآخرون **Kemp, et al. (1995)**، بإجراء دراسة لعينة مؤلفة من (179) امرأة تعرضت للضرب، و (48) أمرأة مساء لها لفظياً. وجد الباحثون أن (81%) من النساء المساء لهن جسدياً و (63%) من النساء المساء لهن لفظياً، انطبق عليهن معيار ضغط ما بعد الصدمة على المقاييس التي استعملوها. علاوة على ذلك، وجدوا أن النساء اللواتي حاولن التعامل مع هذه الإساءة من خلال الإنسحاب الاجتماعي لتجنب المشاكل، ونقد الذات، حصلن على أعلى معدلات من ضغط ما بعد الصدمة، بينما حصلت النساء اللواتي لديهن دعم اجتماعي على أقل المستويات.

إساءة استعمال المواد والكحول **Drugs & Alcohol Abuse:** -

بعض النساء المعنفات يستعملن الكحول أو المواد للتعامل مع الألم الانفعالي والجسدي للإساءة وكذلك للهروب من الألم النفسي الذي يشعرن به، في المسح الوطني العشوائي في أمريكا وجد جلز وستراوس **Gelles & Straus (1988)** أن (13%) من النساء اللواتي ذكرن أن لديهن عنفاً شديداً في السنة السابقة قلن أن مشاكل الشرب أو الإدمان على الأدوية أصبحت أكثر سوءاً لديهن خلال تلك الفترة (فترة العنف) **(Davies, 1998)**.

ويذكر فن **Finn (1985)** المشار إليه في **Browne and Herbert (1997)** أن النساء المعنفات أكثر ميلاً لاستعمال أساليب تكيف غير فعالة، أو ممارسة استراتيجيات تجنبية كطريقة للهرب من العنف الذي يقع عليهن من خلال الإدمان على الكحول أو الانسحاب الاجتماعي. وهو ما يؤدي إلى ضعف صحتهن، وإلى إصابتهن بأمراض مرتبطة بالضغط.

إن هذه الحلول غير التكيفية للمشكلة ينتج عنها تحكم أقل بالمواقف ومشاكل نفسية. ونقص التحكم ينتج عنه زيادة في الضغط، وتناقص تدريجي في اساليب التكيف المستخدمة من قبل المرأة المعنفة للتعامل مع ما تواجهه.

وقد وصف فيتزمان ودرين **Weitzman & Dreen (1982)** الوارد في **Browne and Herbert (197)** النساء المعنفات بأنهن يستعملن أساليب تكيفية محدودة، ويتصرفن باعتمادية كبيرة على الزوج، ويعانين من القلق والاكتئاب وتدني تقدير الذات. كذلك فإن النساء اللواتي يتعرضن للعنف باستمرار يطورن حالة

من اليأس المتعلم وفقدان السيطرة على حياتهن، وهذا قد يقودهن إلى الإدمان على العقاقير أو الكحول، أو حتى الانتحار.

ففي دراسة حول إدمان النساء المعنفات على العقاقير وتعاطي الكحول، تمت فيها المقارنة بين مجموعتين من النساء، المجموعة الأولى تمثل سيدات مسجونات بسبب إقدامهن على قتل أزواجهن، والمجموعة الثانية تمثل النساء المعنفات اللواتي عانين من العنف الجسدي لسنوات ويقمن الان في الملاجيء. أظهرت نتائج الدراسة أن هناك معدلات مرتفعة من الإدمان على العقاقير وتعاطي الكحول لدى المجموعتين، ولكن النسب كانت أعلى لدى النساء المسجونات؛ حيث أن (64%) من النساء المسجونات ذكرن أنهن يتعاطين الكحول بشكل كبير، بينما ذكرت (44%) من النساء المعنفات أنهن يتعاطين الكحول بشكل كبير.

وأظهرت النتائج أيضاً أن (25%) من النساء المسجونات يدمن على الماريجوانا، و(10%) منهن مدمنات على التعاطي بواسطة الحقن بالعقاقير. بينما ذكرت (8%) فقط من النساء المعنفات اللواتي يقمن في الملاجيء أنهن يدمنّ على الماريجوانا (**Davies, 1998**).

الانتحار **Suicide**

تعتبر النساء المعنفات في خطورة متزايدة للإقدام على الانتحار، وفي دراسات على عينات متطوعة من المجتمع والملاجيء وجدت أن (35%) من النساء المعنفات أجبن بأنهن حاولن الانتحار مرة واحدة على الأقل. وفي دراسة لفلتكرافت وستارك

Filtecraft & Stark (1995) المذكورة في **Davies (1998)** حول انتحار النساء المعنفات، أجرياها على (176) امرأة ممن راجعن خدمات الطواريء في مستشفى مدني لمدة تزيد عن عام بسبب محاولة الانتحار، وجدا أن نصف النساء الأمريكيات الإفريقيات و (30%) من النساء ككل اللواتي حاولن الانتحار كن قد تعرضن للضرب.

يرى دوتن-دوجلاس ودويم **Dutton-Douglas and Diome (1991)** أن هناك استجابات سلوكية ومعرفية وانفعالية تميز الاستجابات التي تنجم عن الإساءة وتتضمن: الغضب، والخوف، والقلق، والاكتئاب، وتدني تقدير الذات، والانتحار أو محاولات متكررة للانتحار، والاضطراب، ومشاعر من القهر، وفقدان الذاكرة، ومشاكل جسدية، وضعف التركيز والبرانويا، وإعادة اختبار صدمة الإساءة وتجنب الانفعالات المرتبطة بها.

الخطر الذي يشمل الأطفال **Risks involving the children.**

واحدة من الاعتبارات الهامة في معظم تحليلات الخطر للنساء المعنفات مخاطر تشمل أطفالهن. فالزوج المعتدي حقيقة يضرب أو يؤذي جسدياً الأطفال، أو أن الأطفال سيكونون متأثرين بالعنف الجسدي أو إساءات سلوكية أخرى.

حيث ترتبط المعاناة الزواجية للآباء والصراعات بينهما بالمشكلات التكيفية لدى الأطفال في حياتهم الحالية أو المتعلقة بالمستقبل. إذ أن هناك علاقة بين تكيف الطفل وشدة المعاناة بين الأبوين. إن الأطفال الذين يتعرضون لصراع أكثر تكراراً

يميلون لأن يظهروا مشكلات تكيفية أكثر، قد تأخذ هذه المشكلات الداخلية (مثل: القلق، والاكتئاب، والشكاوي الجسدية). وبشكل عام، فإن الانخفاض في مستويات الصراع الذي يتعرض له الأطفال يمكن أن يقود إلى تحسين التكيف.

ويؤثر الاختلاف وعدم الاتفاق بين الوالدين على الأطفال. ومع ذلك قد يبدو الآباء مختلفين تماماً في وجهات النظر، دون أن يترك ذلك أثراً سلبياً على الطفل؛ فالأطفال الذين يختلف والديهم دائما إلا أنهما يبحثان ويسعيان نحو التسوية والتفاوض، تظهر لديهم مشكلات سولكية قليلة. بينما في المقابل، فإن الأسر التي يهاجم فيها الأب الأم لفظياً خلال الخلاف، يظهر الأطفال المزيد من المشكلات السلوكية (**Sanders, et al. 1997**).

لقد أشارت العديد من الدراسات إلى أن الأطفال أو المراهقين الذين يعيشون في أسر يسودها العنف، هم أكثر ميلا لأن يمارسوا العنف ضد زوجاتهم في المستقبل، مقارنة بأولئك الأطفال أو المراهقين الذين لم يتربوا في بيوت يسودها العنف؛ حيث يتعلم الطفل من خلال مشاهدته لوالده وهو يمارس العنف نحو والدته أن سلوك العنف هو سلوك مقبول، وأنه جزء من العلاقات الحميمة. كذلك الفتاة، فإن مشاهدتها لوالدتها كضحية للعنف يجعلها في المستقبل تأخذ دور الضحية (**Browne & Herbert, 1997**).

وتلعب التنشئة الاجتماعية دوراً كبيراً في هذا المجال؛ حيث أن الإناث والذكور تتم تنشئتهم بطرق مختلفة خلال الطفولة، فالإناث يجدن تشجيعاً قوياً لأن يكن ضعيفات، غير قادرات على التعامل مع العنف، وبالتالي لا يحاولن تطوير أساليب لإيقاف أو تجنب العنف، وبدلاً من التصرف بشكل مؤكد، فإنهن يخضعن

للعنف على أنه لا مفر منه ولا خيار غيره. أما الذكور فتتم تنشئتهم بطريقة تجعلهم يعتقدون أنه يجب أن يكونوا فعالين، ونشيطين، وعدوانيين، ومسيطرين على الإناث أو النساء.

ومن مساوىء العيش في أسرة يسودها العنف ليس فقط السلوك بشكل عنيف في الرشد، وإنما شعور الأفراد الذين يتربون في بيوت يسودها العنف بعدم الحماية من قبل الراشدين المهمين في حياتهم، وإدراكهم للعالم على أنه عدائي ومهدد لهم. أما كراشدين، فإن هؤلاء الأشخاص يحاولون التحكم بهذه البيئة المهددة من خلال العنف الجسدي، ولهذا نجد العديد من النساء المعنفات والرجال العدوانيين يفتقرون للمهارات الاجتماعية والمهارات الشخصية، أو المصادر لتطوير علاقة زواجية سعيدة. وهو ما قد يكون ناجماً عن الأبوة غير المؤهلة والتنشئة السيئة التي تلقوها خلال طفولتهم **(Browne & Herbert, 1997)**.

ويذكر العسال (2003) دراسة لستراوس **Straus (1980)** هدفت إلى معرفة العلاقة بين سوء المعاملة الجسدية للطفل والعوامل الحياتية المسببة للضغط داخل العائلة. تكونت عينة الدراسة من (1146) من الآباء والأمهات الذين تتراوح أعمار أطفالهم من (3-7) سنوات. وقد تم إجراء مقابلات سرية مع جميع أفراد عينة الدراسة، واستخدم الباحث الصورة المعدلة لمقياس هولمز-راهي **(Holmes-Rahe)** لقياس الضغط النفسي. ويتضمن المقياس (18) حادثة مثيرة للضغط. ولقياس الإساءة استخدم ستراوس مقياس أساليب حل الصراع **(CTS)**. وحدوث الإساءة فيما إذا قام الوالد أو الوالدة بلكم، أو ركل، أو عض، أو ضرب الطفل

بأداة حادة، أو مهاجمته بسكين في السنة السابقة لهذا المسح. وقد أشارت النتائج إلى أن معدل سوء معاملة الطفل يزداد بازدياد عدد العوامل المسببة للضغط.

وفي دراسة قام بها جوردس وآخرون (2001) **Gordis, et al.**، حول عدائية الوالدين، في أوضاع العائلة الثلاثية والزواجية الثنائية، والمشكلات السلوكية للأطفال. قام الباحثان بفحص العلاقة بين عدائية الوالدين خلال مناقشات ركزت على الصراع والمشكلات السولكية للأطفال. فقد اشترك الآباء والأمهات في (89) عائلة مكونة من أم وأب وطفل يتراوح عمره من (9-13) سنة في ثلاث مناقشات، مناقشة ثنائية زوجية حول الخلافات الزوجية، مناقشة ثنائية زوجية لخلافات متعلقة بالطفل، مناقشة عائلية ثلاثية مع الطفل حول خلالفات متعلقة بالطفل.

وقد توقع الباحثان أن العدائية بين الوالدين ستكون مهددة للطفل، خاصة عندما يصبح الطفل هدفاً لعدائيتهما. كما توقع الباحثان أن المستويات المرتفعة من العدائية الموجهة من الأب نحو الطفل سوف تزيد من آثار العدائية الزوجية على تكيف الطفل؛ أي أن التفاعل بين العدائية بين الوالدين والعدائية من الوالدين نحو الطفل سوف يتسبب في حدوث مشكلات للطفل. كذلك توقع الباحثان أن آثار تفاعل كل من العدائية بين الوالدين، والعدائية من الوالدين نحو الطفل، سيكون مختلفاً تبعاً لجنس الطفل.

أشارت نتائج الدراسة إلى أن تفاعل العدائية بين الوالدين والعدائية من الوالدين نحو الطفل وعلاقته بجنس الطفل، كان له أثر ذو دلالة إحصائية في حدوث الاختلاف في المشكلات السلوكية الداخلية والخارجية لدى الأطفال. حيث أكدت

تحليلات المتابعة أن العدائية من الوالدين نحو الطفل تزيد من أثار العدائية بين الوالدين على تكيف الطفل لدى الذكور. أما الإناث، فالعدائية من الوالدين نحو الطفل ليس لها الآثار نفسها على العلاقة بين العدائية بين الوالدين وتكيف الطفل.

عند الأخذ بعين الاعتبار العلاقة ما بين العنف الزواجي ومشاكل الأطفال، علينا أن نهتم بالضواغط التي توجد في الأسرة العنيفة زواجياً؛ فالأولاد الذين يعيشون في الأسر العنيفة زواجياً هم في خطر لأن يكونوا مساء لهم. ففي مسح قام به باردي وآخرون **Bardi, *et al.* (2000)** حول حل الصراع بين الوالد والطفل: العنف داخل العائلة في إيطاليا، والذي أجروه على عينة مكونة من (2381) أسرة تقطن في توسكانا بإيطاليا، حيث تم تعبئة استبانة مؤلفة من قسمين: قسم يتعلق بالأمور القافية للعائلة والأحداث الموترة أو الضاغطة التي اثرت على العائلة خلال عام (1998)، والقسم الثاني مكون من مقياس طرق حل الصراع لستروس (**CTS**).

أظهرت النتائج أن الآباء والأمهات يمارسون العنف البسيط نحو أبنائهم بنسبة (77%)، والعنف الشديد بنسبة (8%). ويقصد بالعنف البسيط الدفع، والانتزاع، والصفع على الوجه، والصفع على المؤخرة. أما العنف الشديد فيعني الرفس، والعض، وضرب الطفل بأداة أو محاولة ضربه بشيء، أو حرقه أو سكب سائل ساخن عليه، والتهديد بالأسلحة واستعمال الأسلحة تجاه الطفل.

كما تبين أن العنف البسيط يحدث في الأسر التي تعاني فيها الأمهات من ضغوط ناتجة عن صغر السن، أو ولادة طفل مشكل، وهو الطفل المولود قبل الأوان أو الطفل الخداج، كما يحدث في الأسر ذات الدخل المتدني. أما العنف الشديد فيظهر

في الأسر التي يكون فيها مانحو الرعاية مدمنين على الكحول، والأطفال معتلو الصحة، والعلاقات الزواجية التي تعاني فيها الم من ضغوط لها علاقة بظروفها الصحية.

قامت ستث وآخرون **Stith, et al. (2000)** بإجراء دراسة تحليلية لـ (39)، دراسة شملت (12981) فرداً، وذلك لفحص العلاقة ما بين النمو في اسرة يسودها العنف، وبين ممارسة العنف من قبل الأبناء في الرشد، وبالتالي تكوين علاقة زوجية عنيفة. دعمت نتائج التحليل الفرضية القائلة بأن الترعرع في اسرة يسودها العنف يؤدي بشكل قاطع لأن يمارس الطفل العنف في علاقته الزوجية مستقبلاً؛ حيث يتعلم الأبناء كيف يتصرفون من خلال مراقبة معاملة آبائهم للآخرين، أو من خلال كيفية معاملة الأخرين لهؤلاء الأبناء. وهكذا ينتقل سلوك العنف لأبناء من خلال الاقتداء والتقليد، وأيضاً من خلال الفشل في تعلمهم لكيفية إدارة الصراع بشكل ملائم، مما يدفعهم لممارسة العنف لحل صراعاتهم.

ويؤكد الباحثون على أن للجنس تأثيرات مختلفة في تعلم العنف، فمثلاً تميل الإناث لأن يكن ضحايا للعنف من قبل أزواجهن مستقبلاً. أما الأبناء الذكور، فيميلون لأن يكونوا مرتكبين لهذا العنف في علاقاتهم الزوجية في الرشد. ويعود تفسير ذلك إلى أن الأبناء يقتدون بسلوك آبائهم من الجنس نفسه؛ فالأبناء الذكور يتعلمون دور المسيء من خلال معاملة آبائهم لهم بعنف، أو من خلال مشاهدة آبائهم وهم يمارسون العنف ضد أمهاتهم. أما الإناث، فهن يتعلمن أن يكن ضحايا للعنف من خلال مشاهدة أمهاتهن في هذا الدور **(Stith, et al. 2000)**.

وهكذا نرى من هذه الدراسة أن التعرض للعنف أو مشاهدته داخل الأسرة خلال مرحلة الطفولة يؤثر على سلوك الأبناء في المستقبل؛ فقد يجعلهم ممارسين للعنف أو ضحايا له.

أجرى سميث **Smith (1997)** دراسة للتعرف على أثر الإساءة النفسية والجسدية على تقدير الذات، والثقة بالآخرين والقدرة على بناء علاقات حميمة معهم. شملت العينة مجموعة من الطالبات المتطوعات وهن أمهات لا تقل أعمارهن عن (20 عاماً) من جامعة ريفية متوسطة الحجم. أظهرت انتائج أن السلوك المسيء نفسياً من قبل الآباء له تأثير كبير على تقدير الذات، وعلى القدرة على تكوين علاقات رومانسية عند البنات. كما بينت الدراسة أن سلوك الإساءة النفسية من قبل الأمهات له تأثير كبير على الثقة بالأصدقاء من الجنس نفسه، والثقة بالجنس الآخر، والقدرة على تكوين علاقات حميمة معهم. وأظهرت النتائج كذلك أن السلوك المسيء جسدياً من قبل الأمهات يؤثر بشكل كبير على الثقة بالأصدقاء الإناث. كما دلت النتائج ايضاً على وجود تأثير على تقدير الذات للسلوك المسيء نفسياً، أكثر من السلوك المسيء جسدياً. وتمت مقارنة النتائج أيضاً بنتائج مقاييس متعددة تقيس المفهوم نفسه، المقاييس التي تمت مقارنة نتائجها هي: مقياس التعرض للبيئة الوالدية المسيئة والمسادنة، ومقياس روزنبرغ **(Rosenberg)** لتقدير الذات، ومقياس برير **(Briere)** لتقدير الذات، ومقياس الثقة بين الأشخاص لرمبل **(Rempel)** ومقياس الخوف من بناء علاقات حميمة، ومقياس ميلر **(Miller)** لبناء علاقات اجتماعية حميمة.

لقد بدأت دراسة موضوع مشاهدة الأطفال لحصول الإساءة المباشرة على الأمهات منذ بداية الثمانينيات. وتذكر كونروي **Conroy (1994)** ملخصاً لعدد من الدراسات حول هذا الموضوع، منها دراسة إلبو **Elbow (1982)** التي ترى أن الأطفال في البيوت التي يسودها العنف لا يتم إشباع حاجاتهم الانفعالية والنمائية. وتشعر إلبو أن هناك علاقة تكافؤ وتكافل بين الأطفال وآبائهم في هذه الأسر يؤدي إلى حدود مضطربة بين الأجيال وتبادل في الأدوار. وقد تساءلت غلبو مستخدمة نموذج إريكسون فيما إذا كان إحساس الأطفال بالمثابرة قد انخفض، وتحقيقهم للاستقلالية قد قل، مفترضة أن هؤلاء الأطفال يطورون مشاعر بعدم الكفاءة والذنب، وفيما إذا كان إحساسهم بالثقة قد تأثر أو اختل.

كذلك دراسة هيرشوم وروزنبوم **Hershom & Rosenbaum (1985)** حول أطفال لـ (45) سيدة تتراوح أعمارهم ما بين (8-10) أعوام، حيث تم تقسيم النساء إلى ثلاث مجموعات: نساء متزوجات ويتعرضن للضرب، نساء متزوجات غير مضروبات ولكنهن في علاقة زواجية مليئة بالنزاعات، نساء لديهن رضى زواجياً. أظهرت النتائج أن المشاكل الانفعالية والسلوكية لدى الأطفال تظهر في كل من مجموعة النساء المتزوجات المضوربات، ومجموعتي النساء غير المضروبات ولكنهن في علاقة زواجية يسودها النزاع والخلاف.

كما عرضت **Conroy (1994)** دراسة قامت بها هينلي وآخرون **Henley, et al. (1982)** على (25) طفلا من الذين شاهدوا أمهاتهم يتعرضن للعنف، فوجدت أن (50%) منهم يتصرفون بعنف مع آبائهم، (60%) يتصرفون بعنف مع إخوانهم، و (30%) يتصرفون بعنف مع أقرانهم، و (33%) يتصرفون

بعنف مع معلميهم، وأن (16%) منهم أحيلو إلى محكمة الأحداث، و (20%) منهم يتغيبون عن مدارسهم، وأن (50%) منهم أقل من المتوسط أو فاشلون في الدراسة، و(40%) منهم يعانون من القلق، و (48%) منهم مكتئبون.

كما عرضت دراسة أجراها شيبرد **Shephard (1992)** على (26) طفلا أعمارهم ثلاث سنوات فما فوق يشاهدون أمهاتهم وهن يتعرضن للضرب. أظهرت النتائج أن هؤلاء الأطفال يعانون من مشاكل في التكيف النفسي، ومن التوتر النفسي المرتبط بالأم. وهذا يدعم ما توصلت إليه الدراسات الأخرى حول أبناء النساء المضروبات.

كما عرضت **Conroy (1994)** مراجعة ساندرز **Sanders (1994)** لأعمال ودراسات العديد من العلماء، حيث قسم المشاكل التي يتعرض لها الأطفال الذين يشاهدون العنف إلى مجموعتين: -

مشاكل داخلية مثل الانسحاب والقلق.

مشاكل خارجية مثل العدوان والانحراف.

وقدم عرضاً لبعض الدراسات، مثل دراسة جيف وآخرون **Jeffe, *et al.* (1998)**، الذين وجدوا أن ثلاثة من كل أربعة أطفال للنساء المضروبات يظهرن مشاكل سلوكية جوهرية، مقارنة بـ (13%) لدى أفراد العينة الضابطة.

ودراسة روي **Roy (1988)** الذي افترض أن المراهقين الذين يشاهدون العنف المنزلي ربما يصبح لديهم اعتمادية على الكحول أو العقاقير. كذلك روزنبرغ

Rosenberg (1984) الذي وجد أن هؤلاء الأطفال يؤدون أداءاً ضعيفاً على مقاييس فهمهم للمواقف الاجتماعية ومشاعرهم وأفكارهم نحو الآخرين.

مخاطر مادية Financial risks. قد تحتاج بعض النساء فقط لمنزل بسيط أو ملابس عادية، مال للطعام والرعاية الصحية، وأخريات قد يحتجن إن يسكن في بيوت كبيرة ومجهزة، طعام متنوع، ملابس فاخرة، تدريس الأولاد في مدارس خاصة، دروس موسيقى، شراء ألعاب، ....

تعتمد النساء في العادة على أزواجهن في توفير المال، ففي حالة كونها تتعرض للضرب وتبقى في العلاقة قد يقوم بتهديدها بقطع النقود أو إعطائها مبالغ قليلة جداً ويحاسبها على كل شيء، وقد يمنعها من العمل أو من العمل الجيد وقد يمنعها من الذهاب إلى الكلية أو التدريب. وكل هذا يمثل عائقاً أمامها يمنعها من أن تمارس حياتها بشكل طبيعي.

كذلك إذا تركت العلاقة قد تفقد منزلها، جيرانها، اصدقائها، الأشياء التي كان يملكها أولادها من مثل: الألعاب، الملابس وأشياء أخرى. قد تعيش في الملاجىء أو في الشارع، وقد تفقد أولادها، كذلك تفقد عملها. ففي دراسة في نيويورك وجد أن 56% من النساء فقدن عملهن بسبب العنف (Davies, 1998).

مخاطر متعلقة بالعائلة والأصدقاء Risks to or about family and friends. العائلة والأصدقاء هم الأشخاص الذين يقدمون الدعم الاجتماعي للمرأة المعنفة، إن الخطر يكمن في منع المرأة من التواصل معهم أو أن يحول الشخص المعنف عنفه نحو هؤلاء الأصدقاء والأقارب إذا حاولوا التدخل. إن الأصدقاء والعائلة

هم من أعظم مصادر الدعم الانفعالي والمساعدة غير الرسمية التي تعتمد عليها المرأة المعنفة.

حالة روزماري **Rosemary's Case**: -

روزماري وجون كبرا معاً، وهما متزوجان من ثلاث سنوات، عائلتاهما أصدقاء مقربون، وهم جميعاً يعيشون في بلدة ريفية صغيرة، جون يعمل مع أخ روزماري وأبيها في أعمال العائلة، روزماري تعمل مساعدة قانونية. والدة جون تعتني يومياً بطفلهم الوحيد، جون غيور جداً من الرجال الذين تقابلهم روزماري في العمل، هو ينتقد ما تلبسه للعمل، ويهاتفها مرات عديدة في اليوم، جون يوصلها للمكتب ويأخذها منه أثناء العودة، عندما جاء جون مرة ليأخذها، كانت روزماري تمشي خارج الباب وفي الوقت نفسه كان أحد المحامين الرجال يغادر، طلب منها جون أن تدخل السيارة وانطلق بسرعة، وعندما دخلا المنزل، مزق ملابسها واتهمها أنها كانت مع المحامي وقال لها: "أنت ساقطة." وهذا جعلها تهتز، ثم دفعها أرضاً وركلها وقال لها: "توقفي عما تفعلين وإلا ستطردين." روزماري أرادت المحافظة على عملها، شعرت باضطراب حول سلوك جون لأنه اول مرة يضربها، اخبرت عائلتها، تم لومها على مشاكل الزواج، العائلة غاضبة من جون وأرادوا أن يطردوه من عمله، وقالوا انهم لم يوافقوا على زواجها، وأخبرها أخوها أنه سيتحدث مع جون بهذا الأمر ويطلب إليه التوقف عن ذلك، وأخبرتها أمها أن كل الأزواج الشباب يحدث لهم ذلك، واقترحت أن جون لن يكون غيوراً إذا تركت روزماري العمل وأنجبت طفلا آخر **(Davies, 1998, pg. 37)**.

تحليل درجة الخطر عند روزماري **Rosemary's risk Analysis:** -

هي قلقة حول فقدانها للدعم من عائلتها فهم يريدون أن تترك جون وإن لم تفعل فإنهم لن يساعدوها. قلقة حول أن يؤذي كل من أخيها أو جون أحدهما الاخر عندما يتواجهان، فهي لا تعرف كيف سيتصرف جون، وعندما يجدها قد أخبرت عائلتها سيغضب وربما يؤذيها ثانية، وتعرف أن أخاها ربما يفقد أعصابه وقد يدل في معركة مع جون ويؤذي كل منهما الاخر. قلقة فيما يتعلق بمحاولتها ترك العلاقة فإنها ستدمر العلاقة الودية بين العائلات وبعض الأصدقاء في البلدة.

تنظر أنها إذا لم تترك العمل ستلام من قبل عائلة جون أنها تسهم في فشل الزواج، وهي لا تريد أن تخسر دعمهم، لأنها تعتقد أنهم سيساعدوها في تغيير جون. عندها قلق فيما يتعلق برعاية طفلها فإن جون سيخبر والدته أن توقف الرعاية اليومية للطفل **(Davies, 1998, pg. 37)**.

فقدان العلاقة **Loss of Relationship.**

بالنسبة لمعظم النساء إن وجود علاقة حميمة هو جزء مهم من الحياة مثل هذه العلاقة تزود بالإحساس بالعشرة، العائلة والبيت. وبالنسبة لبعض النساء فإن هذه العلاقة تزودهن بتعريف من يكن وفرصة لأن يمارسن دوراً خاصاً.

إن بعض النساء المعنفات يشعرن بالحب نحو أزواجهن. إن حب الزوج والالتزام بالعلاقة هما بعدان قويان في تحليل الخطر للنساء، فقد وجد الباحثون أن السبب الوحيد الأكثر شيوعاً لبقاء النساء في العلاقة أملهن في أن يتغير الزوج. إن خطر

خسران بعض النساء للعلاقة يعود لخوفهن من البقاء لوحدهن أكثر من خسران حب الزوج، فهن يعتقدن أن وجودهن وحدهن سيقود إلى حدوث أشياء مرعبة لهن، إن خوف المرأة من البقاء وحدها يزداد في حالة عدم وجودها من قبل وحدها، وأيضاً إذا اعتبرت أنها سوف لن تكون قادرة على إيجاد علاقة زوجية أخرى بسهولة. كذلك تفكيرها بمصير الأولاد ومصيرها هي، وأين ستقضي حياتها بعد أن تترك زوجها، يعتبر أمراً حاسماً قد يجعلها تضطر للاستمرار في العلاقة الزوجية العنيفة، خاصة إن لم يتوفر لها مكان آمن تعيش فيه بعيداً عن تحكم الآخرين بها.

ومع هذا فإن العنف الجسدي والانفعالي هو السبب الرئيسي لإنهاء النساء للعلاقة وادبيات البحث عن الطلاق أثبتت أن العنف هو المسهم الأول في الطلاق. على سبيل المثال وجد إليس وسترخلس **Ellis & Struckless** بعد دراسة (362) زوجاً وزوجة منفصلين أن 40% من الزوجات قلن انهن تعرضن للإساءة خلال العلاقة من قبل أزواجهن، 57% ذكرن أن الإساءة هي السبب الرئيسي للإنفصال **(Davies, 1998)**.

مخاطر الاعتقال أو الوضع القانوني

Risks involving arrest or legal status:

قد تتعرض المرأة التي تستدعي الشرطة إثر هجوم زوجها عليها إلى إدعاءات من قبل زوجها واتهامات تتسبب في اعتقالها هي وزوجها. وقد يجبر الزوج زوجته على أن تشترك معه في جرائم وأعمال سيئة، مما يعرضهما للمحاسبة القانونية.

الفصل الخامس

الخطط الآمنة للنساء المعنفات

الفصل الخامس

الخطط الآمنة للنساء المعنفات

مقدمة

تواجه المرأة المعنفة قراراً صعباً، هل تبقى في العلاقة الزوجية التي يسودها العنف وتحافظ على بيتها وأطفالها بكل ما أوتيت من قوة رغم ظروفها القاسية، أم تتخذ قراراً بأن تترك هذه العلاقة التي ضاقت ذرعاً بها، وتنجو بنفسها من العنف، تاركة وراءها سنوات من عمرها قضتها مع هذا الزوج، وأطفالاً قد لا يجدون من يهتم بهم، ويحفهم الخطر المجهول من كل جانب.

ومهما كان قرار الزوجة، لا بد لها أن تعرف عواقب كل قرار. فإن بقيت في العلاقة العنيفة مع الزوج فستواجه تحديات صعبة كيف ستتحمل الأذى النفسي والجسدي؟ كيف ستحمي أطفالها من أن يكونوا ضحايا مثلها؟ كيف ستكون أيامها القادمة؟ ماذا يمكن أن تفعل حتى يتغير زوجها ويصبح لطيفاً معها؟ ماذا لو منع المصروف عنها هي والأولاد؟ ... وكثيرة هي الأسئلة التي لا بد أن تعرف الزوجة المعنفة إجابة لها.

وإذا قررت أن تترك العلاقة الزوجية وتطلب الطلاق. ماذا عن أطفالها؟ وهل حقيقة سينتهي العنف بانتهاء العلاقة الزوجية؟ أم سيزداد؟ أين ستعيش وماذا ستفعل لتعيش؟ ...

أعود وأكرر أنه قرار صعب، ولكن يمكن مساعدة الزوجة من أجل عمل خطط توفر لها الحماية، أو تجعلها تتعرض لأقل الأضرار. هذه الخطط تضعها الزوجة بناء على ظروفها وما يناسب احتياجاتها. وقد تكون هذه الخطط للحماية أو البقاء أو للترك. وهذا ما سنوضحه بالتفصيل خلال هذا الفصل.

البقاء في العلاقة الزوجية العنيفة أم تركها

Staying or Leaving the Violent Relationship

إن قرار المرأة التي تتعرض للعنف هو الاستمرار في العلاقة مع زوجها أو ترك العلاقة. إن الاستمرار في العلاقة لا يعني بالضرورة قبول العنف وإن ترك العلاقة لا يعني أن العنف سيقل أو ينتهي ويرى ماهوني **Mahuny (1994)** أن النساء المعنفات يدافعن عن أنفسهن بطرق مختلفة.

يحاولن تغيير الموقف وتحسين العلاقة.

البحث عن المساعدة إما بطرق رسمية أو بطريقة غير رسمية عن طريق الأصدقاء، العائلة، أو المنظمات.

الابتعاد مؤقتاً وجعل العودة مشروطة بأن تكون متأكدة من الرعاية والأمان لها.

إنهاء العلاقة.

الاستمرار في العلاقة قد يكون نمط من مقاومة العنف.

وقد وجد فريز (1997) **Frieze** أن النساء اللواتي يتعرضن للضرب يختلفن في إدراكاتهن حول العنف، فبعضهن يعتقد أن العنف معزو لأزواجهن، وأخريات يعتقدن أنه يعود لأخطاء خاصة بهن، وأيضاً يختلفن في تحليلهن للإساءة ومدى ثباتها؛ فبعض النساء يرين الإساءة على أنها يمكن أن تتغير، وأخريات يعتقدن أنه لا يوجد مجال للتغير.

إن النساء اللواتي يعتقدن أن العنف يعود للزوج، وأنه لا مجال للتغير، هذا يؤدي إلى أن تترك النساء المنزل أكثر من اللواتي يعتقدن أن هذا العنف هو أمر مؤقت، وأن هناك إمكانية لتغيير الوضع، وكذلك أن الخطأ يقع عليهن. فيبقين من أجل أن يفعلن ما بوسعهن لتحسين الوضع الناجم عن قناعتها بمسؤوليتها عن حصول الإساءة والمشاكل **(Wetzel & Ross, 1998)**.

إن كثيراً من النساء يتخذن قراراً بالبقاء على اتصال مع الزوج، وعدم ترك العلاقة وذلك لالتزامهن بالعلاقة مع الزوج، وأيضاً لأملهن في أن الزوج سوف يتحسن، وأنه سيغير تعامله معها، هذا هو ما يجعلها تتحمل وتبقى مستمرة في العلاقة، كما أن اشتراك أو دخول الزوج في الإرشاد (الذهاب إلى الإرشاد) هو أحد العوامل التي تقف وراء عودة المرأة لمنزلها ولزوجها.

كذلك من العوامل التي تؤثر في قرار المرأة بشأن االبقاء والاستمرار في العلاقة أو تركها، هي المعتقدات الدينية فقد تكون مشجعة للمرأة لأن تواجه المخاطر وتحمي نفسها وأطفالها وكذلك التزويد بالدعم، على سبيل المثال: قد تجعل المعتقدات الدينية للمرأة تبقى في العلاقة، وأيضاً تعمل على بقاء العائلة معاً، وتعمل على استمرار الحياة بشكل جيد. فعلاقة الزواج قد تمت على مشهد من الأقارب

والأصدقاء و الـلـه والتفكير بإنهاء مثل هذه العلاقة ليس بالأمر السهل. كما أن الـلـه عز وجل شرع الطلاق وجعله أبغض الحلال، قال رسول الـلـه صلى الـلـه عليه وسلم: "أبغض الحلال إلى الـلـه الطلاق." أخرجه أبو داود وابن ماجة والحاكم وصححه عن ابن عمر (عاشور، الفقه الميسر). وليس من السهل الإقدام على هذه الخطوة.

إن الدراسات وجدت أن النساء اللواتي تركن العلاقة لديهن أولاد أقل، عشن إساءة شديدة جداً ومتكررة، لديهن نظام داعم، كان أزواجهن مدمنين على الكحول وأيضاً عشن فترة طويلة من الإساءة الشديدة مقارنة بأولئك اللواتي بقين في العلاقة.

كذلك فإن الكثير من النساء لديهن خوف من البقاء وحدهن، لذلك يحافظن على الاستمرار في العلاقة آملات في أن تتحسن معاملة أزوجهن لهن؛ ففي حالة ترك العلاقة فإنهن سيعانين من الوحدة لذلك لا يرغبن بإنهاء العلاقة، ويتشبثن بها، خاصة إن لم يتوفر لديهن مكان وأفراد داعمين لهن من الأهل والأقارب.

إن تفكير المراة بأولادها وماذا سيحصل لهم في حالة ترك العلاقة يجعلها تفكر جيداً قبل أن تتخذ مثل هذا القرار ومن هنا نرى أن الأولاد يلعبون دوراً كبيراً في استمرار الأم في العلاقة رغم الإساءة التي تلحق بها.

تلعب العوامل الاجتماعية مثل الالتزام بالعلاقة أثراً واضحاً في بقاء المرأة تحت سيطرة ذلك الزوج الذي يعاملها بعنف. فهي تجد أن الخسائر المترتبة على ترك العلاقة تكون كبيرة؛ حيث تفقد الأسرة، الزوج، الأمان والاستقرار، وكذلك نظرة المجتمع لها خاصة في مجتمعاتنا العربية لدينا هنا في الاردن نظرة خاصة بالمطلقة حيث ينظر لها وكأنها شيء غريب أو كأنها ارتكبت جريمة لطلاقها.

يعطي المجتمع قيمة كبيرة للأسرة النووية؛ فالأطفال بحاجة لأب، وكذلك ليس من السهل على النساء التخلي عن فكرة العيش في بيت جميل والجلوس معاً الوالد والوالدة والأولاد. إن هذا الأمر يجعلها تفكر كثيراً قبل الإقدام على أية خطوة **(Wetzel & Ross 1998)**.

كذلك عندما يكرر الزوج عبارة مثل: "أنا لم أجد إمرأة تفهمني مثلك" وعندما تحاول المرأة الترك تقابل "بأنت لا تستطيعين تركي"، "أنا أحتاجك". وكما ورد سابقاً فإن المرأة لديها حاجة قوية أن تشعر أن الآخرين بحاجة إليها، فالتغيرات الشديدة في شخصية الزوج عندما يتحول من شخصية لأخرى (من المعتدي القاسي إلى الحنون المحتاج) فإن هذا يعزز قرار المرأة بالبقاء في مثل هذه العلاقة **(Wetzel & Ross 1998)**.

عندما تفكر المرأة بالترك فإنها تتردد كثيراً وكلما قررت أن تترك الزوج فإنها تتراجع وعندما تعلم بوجود ملاجيء خاصة بالنساء المعنفات تفكر بالذهاب إليهن وقد تذهب وتكون متألمة وقلقة ولا تمكث طويلاً ثم تعود للمنزل ثم تتعرض للضرب ثانية ثم تعود للملجأ، وتقرر أخيراً أنها ستعمل خطة لتركه، وبعد أيام تقرر العودة لعلاقة.

قام هولتزورث- منرو وآخرون **Holtzworth-Munroe, *et al.* (1997)** بمراجعة حول عنف الزوج، قدموا فيها توضيحات معقولة، حول لماذا على المرأة أن لا تترك العلاقة العنيفة.

أولاً: ربما لا يكون آمناً بالنسبة للمرأة أن تترك العلاقة حيث وجد **Sattzman & Mercy (1993)** أن النساء المعنفات اللواتي أنهين علاقتهن مازلن تحت خطر التعرض للقتل من قبل شركائهن.

ثانياً: لقد أثبت العديد من الباحثين أن اعتماد المرأة الاقتصادي والمادي على الرجل مرتبط بقرار المرأة حول البقاء أو الترك. فالنساء اللواتي لديهن مصادر دخل ودعمن مادي هن أكثر ميلاً لترك العلاقة الزوجية العنيفة. أما المرأة التي ليس لديها دخل أو دعم مادي فإنها ستضطر للبقاء في العلاقة الزوجية العنيفة.

ثالثاً: إن قرار المرأة المعنفة بترك العلاقة يعتمد على حصول تغير مفاجىء في مستوى العنف، فالمرأة التي تدرك فجأة أن العنف الجسدي سيكون مميتاً ويحدد مصيرها فإنها ترفض اية مبررات من أجل الحفاظ على حياتها.

رابعاً: يبدو واضحاً أن الناس وليس النساء المساء لهن أو المعنفات يجدون صعوبة في ترك العلاقة الزوجية العنيفة، لذلك فإن البقاء في العلاقة الزوجية العنيفة هو ليس استجابة منحرفة.

فيما يتعلق بقرار المرأة المعنفة حول ترك الزوج العنيف أم لا استنتج **Strube (1988)** من مراجعة للأدب في هذا الموضوع أن: -

1. الدراسات صورت المرأة المعنفة التي تفتقر للموارد المالية على أنها تتحمل الإساءة والعنف لفترة طويلة ما لم يكن العنف شديداً جداً ولم يشتمل الأطفال، وهؤلاء النساء يبدين إلتزامهن بالعلاقة من اجل أن تبقى.

2. يتصرف الباحثون عادة وكأن المرأة هي الشخص الوحيد المشارك في عملية العنف، على سبيل المثال، فإن الباحثين نادراً ما يأخذون بعين الاعتبار موضوع المساعدة التي يمكن أن تحصل عليها المرأة والتي يمكن أن تسهم في قرارها بشأن الاستمرار في العلاقة العنيفة أو تركها. وبشكل ماثل، فإن الباحثين نادراً ما يأخذون بعين الاعتبار أثر الزوج المسيء على قرار زوجته بالعودة للعلاقة. بالرغم من وجود حقائق من خلال ما تم التوصل إليه من نتائج البحوث أن للأزواج المسيئين لزوجاتهم أثر في قرار زوجاتهم في البقاء من خلال محاولاتهم إقناعهن بالبقاء أو العودة إليهم **(Holt 2). worth-Munvoe et, al, 1997**

كما توجد دلائل تشير لإستعداد المرأة بإتخاذ قرار من أجل تغيير حياتها ومن هذه الدلائل ما يلي: -

هل تركت من قبل؟ يمكن معرفة ذلك من خلال على الأقل ملاحظة: -

أنها لم تترك العلاقة من قبل أبداً.

إذا لم تر مرحلة الندم والأسف من قبل فإنه من المتوقع أنها ستعود للبيت.

إن ترك المرأة للعلاقة يكون أعلى في حال كونها تركت المنزل ما بين مرتين إلى خمس مرات سابقاً.

ما هي الخطط التي عملتها، في حالة وجود معلومات قليلة لديها عما تريد أن تفعله إذا كانت غير مستعدة لإنهاء العلاقة، في حالة إشارتها لأن أختها ستساعدها مثلاً ربما يكون هذا إشارة جيدة لترك العلاقة.

ما هي الظروف التي تجعلها تقرر ترك العلاقة؟

كيف تشعر حول أطفالها وعلاقتهم بوالدهم؟ بعض الأمهات لا يدركن كم هو مؤذٍ للأطفال وجودهم في منزل به عنف فكيف إذا تعرضوا حقيقة للأساءة، أن إيضاح هذه الآثار على الأطفال ربما يجعل الأم تغير رأيها بشأن الانفصال لحماية الأطفال.

هل العلاقة مع الزوج العنيف طويلة؟ إن أكثر الفترات إمكانية لتغيير هي ما بين الزواج الحديث أو الزواج ذو الفترة الطويلة.

هل عرفت أنها ربما تقتل؟ بعض النساء يصلن للشعور بالاحباط والألم مما يدفعهن لا شعورياً للانتحار.

النظام العقائدي والتصوري لحياة المرأة، فإذا التزمت بدين يعلم قيمة الفرد عندئذ فإنها ربما تتبع مساراً واحداً، وإن كانت تعتقد بأن متواليات الألم عندها ستكون كثيرة إذا غادرت وتركت وعندئذ سوف يعزز ميلها للبقاء.

مدى ملاءمتها للصورة الشخصية للمرأة المعنفة هل ما زالت تشعر بالذنب؟ ما زالت تشعر بالضعف؟ هل تحسن تقدير الذات لديها؟**(Wet Zel Ross- 1998)**

الخطط الأمنة للنساء المعنفات **Safety Plans for Abused Women**

عملية التخطيط تشمل التساؤل هل البقاء أم الترك سيزيد أو يقلل من الخطر وما هو الأفضل للزوج؟ ولذلك على المرأة التفكير بإدارة وقدرة الزوج على التغيير،

من الضروري مناقشة المميزات العامة لأغلب الأساليب الآمنة للنساء المعنفات، خاصة العنف الجسدي، والخطط الآمنة لهن: -

أساليب الحماية.

أساليب البقاء

أساليب الترك.

المدة: طويلة الأمد أو قصيرة الأمد.

مثلاً استراتيجية البقاء لإمرأة قد تشمل استراتيجية حماية وذات مدة أو وقت طويل للترك. في المقابل قد تكون خطة إمرأة أخرى لا تشمل كل ذلك فقد تكون الهرب كما أنه ليس لديها أي خطة للبقاء، بينما إمرأة اخرى قد لا يكون لديها أي خطة للبقاء، بينما إمرأة أخرى قد لا يكون لديها أي خطة للترك ... وهكذا. وفيما يلي توضيح للسابق:-

استرايتجيات الحماية: وهي لمنع العنف أو الاستجابة له، ومن أشكالها: -

الهرب.

البحث عن شخص ثالث للتدخل.

الدفاع عن النفس.

الهرب **To flee**: يكون للمرأة هنا أسلوب للهرب محدد مسبقاً ومكان محدد تنتهي فيه لنفسها ولأولادها، على سبيل المثال: عندما تقول الأم للأولاد "أخرجوا من المنزل" عليم الخروج والذهاب لمنزل الجدة أو أحد الأصدقاء. الهرب أيضاً قد يعني

ترك الباب غير مغلق مما يسهل عملية المغادرة أثناء نوم الزوج أو ثمله الناجم عن الشرب، خوفاً من ضربه للأولاد والزوجة بعد الاستيقاظ.

البحث عن شخص ثالث للتدخل: قد تطلب المرأة حماية لنفسها من خلال شخص ثالث للتدخل قد يعني هذا تدخل رسمي عن طريق القانون، أو تدخل غير رسمي من قبل قريب، صديقة أو جارة. مثلاً قد تخبر أخاها بما يفعله زوجها فيطلب منها أن تكلمه عندما يكرر ذلك ليأتي ويوقف الأذى عنها، أيضاً قد تستدعي الشرطة وربما يسمع صراخها أحد المارة ويبلغ الشرطة (**Davis 1998**).

ترى هل تجرؤ المرأة في مجتمعنا الأردني سواء كانت زوجة، إبنة، أختاً، أن تبلغ الشرطة عن الأذى الذي تتعرض له؟ لقد قام ناصر وآخرون (1998) حول ظاهرة العنف ضد المرأة في المجتمع الأردني وشملت: الخصائص الديموغرافية، الضحايا والجناة، وقد وجدوا أن هناك فرق في الرقم الإحصائي لجرائم الاعتداء الجسدي والجنسي على المرأة في مجتمعنا الأردني والحجم الحقيقي ويعود ذلك للكتمان الذي يتم على مثل هذه الجرائم وعدم الرغبة في إبلاغ الشرطة ويعود ذلك للأسباب التالي: -

طبيعة العلاقات الأسرية ووجوب الانتماء للأسرة والولاء لها، ويخل به عند إبلاغ الشرطة فأمور العائلة خاصة بالعائلة وحدها (سواء أكانت المرأة أختاً أم بنتاً أم زوجة) خاصة إذا كان المعتدي أحد أفراد العائلة.

رفض الزوجة التي تتعرض للإيذاء من قبل زوجها إبلاغ الشرطة خوفاً من الطلاق وأيضاً تعرض أولادها للضياع.

الحلول العشائرية للمشاكل: يتم اللجوء لها لحل المشاكل والخلافات وكذلك حل قضايا الإيذاء للمرأة تحل بنفس الطريقة ولا داعي لإبلاغ الشرطة ولعل إبلاغ الشرطة هو آخر وسيلة تلجأ لها لأسرة.

تهديد الجاني للمرأة في حالة تبليغ الشرطة مما يؤدي لخوفها وعدم إقدامها على الإبلاغ.

شعور المرأة بالحرج عندما تقدم على الشكوى خاصة عندما يكون المسيء لها أحد أفراد العائلة، كما أن المجتمع ينكر ذلك إذا قدمت شكوى على أخيها... ما هذا؟ بنت تشكو والدها؟! صحيح لا تستحق أن تكون زوجة له، تذهب للشرطة وتقدم شكوى عليه؟!

ت- الدفاع عن النفس **Self defense**: وهنا تقوم المرأة بحماية نفسها عن طريق تغطية وجهها، إرتداء ملابس سميكة وذلك لتقاوم اللكم والركل والصفع، أو عن طريق إبعاد الأدوات التي استخدمها معها سابقاً مثل: السكاكين، الأسحلة، وجعلها صعبة المنال. وأيضاً قد ترد الهجوم عليه من أجل الدفاع عن نفسها، وهذا لا يعني أنها أصبحت مثله أو توصف بأنها عنيفة؛ أي تحاول الدفاع عن نفسها محاولة تقليل آثار العنف ما أمكن، أو منعه من الحصول إن استطاعت.

أما فيما يتعلق بأطفالها فإنها قد تفعل ما يلي:-

إرسال الأولاد إلى أحد أفراد عائلتها أو للجيران، أو صديقه ليحافظ عليهم، إن هذا الإجراء يكون جيداً في حالة حدوث العنف في نهاية الأسبوع أو في أوقات محددة.

النوم مع الأطفال في غرفتهم وهنا هي تحمي نفسها وتحمي أطفالها من عنف الزوج.

تغذية اطفالها وجعلهم ينامون قبل عودة الزوج؟

عدم ترك الأولاد وحدهم مع الزوج أبداً.

إشغال الأولاد بأنشطة خارج المنزل تحتل جزءاً كبيراً من وقتهم.

جعل غرفة الأولاد بعيدة جداً عن غرفة نومها لأنها هي المكان الذي تتعرض فيه للعنف.

قد تقوم المرأة بمحاولة لتغيير الزوج المسيء كجزء من استراتيجية الحماية طويلة الأمد وحتى تفعل ذلك تقوم بما يلي: -

تنذر زوجها أنها ربما تخبر الشرطة- أو تخبر شخصاً ما عن العنف، أو تتركه حتى تعلمه أنها جادة في مطلبها بأن يتغير.

تحاول جعل زوجها الحصول على المساعدة عن طريق الموافقة على الإرشاد الزواجي، وتحاول أن تجعل أحد المعارف أو أفراد العائلة يقنعه بذلك.

قد تلجأ للمحكمة فيصدر أمراً أن لا يؤذيهاظن أو يصدر أمر المحكمة بأن يذهب الزوج للإرشاد.

إن ترك العلاقة هو استراتيجية الحماية الأكثر أهمية، خاصة إذا توفرت القدرة والإمكانية للمرأة، لذلك وأن لا يعرف الزوج مكانها فلا يجدها. إن ترك المرأة للعلاقة واختفائها قد يقلل من العنف الجسدي الذي تتعرض له، لكنه قد يؤدي

لظهور مخاطر جديدة، الأطفال، الطلاق. زيارات التفتيش من قبل منفذي القانون هذه قد تجبر المرأة على أن تحدد مكان وجودها. كما أن فقدان التواصل مع المعارف، العائلة أو المجتمع يعتبر من النتائج المؤلمة. إن معرفة الزوج لمكان زوجته يعتبر من أسوأ الأمور فقد يؤدي هذا لزيادة العنف نحو زوجته.

استراتيجيات البقاء **Staying Strategies:** -

إن خطط البقاء تستلزم الحماية من العنف الجسدي والاستجابة نحو المخاطر الناجمة عن سلوكات الزوج المعنف واستراتيجيات البقاء على قيد الحياة. عند العمل بالخطوات التالية يجب الأخذ بالاعتبار أنها تعمل مع بعض النساء اللواتي يوجدن في بعض الظروف، ويتم تطورها في سياق وجود بدائل قليلة أو عدم وجود بدائل متاحة، ومن هذه الاستراتيجيات: -

الحصول على العمل أو الانضمام لجمعية أو جماعة دينية بحيث تشعر بالقيمة والثقة بالنفس وتحصل على الدعم.

الانضمام لفرق الدفاع عن النفس أو الاستعداد الجسدي.

الاندماج أكثر بدينها ليعطيها القوة والقدرة على الاستمرارية للمضي قدماً.

مهاتفة الخط الساخن الخاص بالعنف المنزلي من أجل فحص وجهة نظرها واستكشاف آرائها وحصولها على الفهم والدعم.

الذهاب لمعالج أو مرشدة لمساعدتها على تصنيف مشاكلها وتقرير ماذا تفعل.

الاتفاق مع زوجها في وجهة نظره بتجنب الخلافات معه، محاولة إيقافه سعيداً، إعطاؤه ما يريد، محاولة أن تكون أماً أو زوجة ممتازة.

تحافظ على شبكة الدعم لها، فهي تعمل على عمل تناوب بين الأقارب أو المعارف الذين تذهب لهم للحصول على الدعم، وبهذا فلا يتضايق منها أحد.

عدم تدخل أهلها أو أقاربها أومعارفها إذا اعتقدت أن زوجها قد يلحق الأذى الجسدي بهم.

تطوير اساليب ذكية لاستمرارية الاتصال مع أهلها ومعارفها دون علم الزوج.

للتعامل مع المخاطر المادية على المرأة المعنفة اتباع ما يلي: -

العمل خارج المنزل ليكون لها نقود خاصة بها.

إقتطاع جزء من الأموال التي يعطيها إياها لمصروف المنزل.

أخذ الأموال المسحوبة مباشرة وذلك لمنع الزوج من صرفها في أشياء أخرى.

أن يكون لها حساب في البنك لا يعرف الزوج عنه.

تضع نقودها لدى صديقاتها.

تطلب من أعضاء عائلتها فتح حساب لأطفالها في البنك لا يستطيع الزوج الوصول إليه.

إن لاستراتيجيات الاستمرارية في العلاقة أضراراً أو نتائج سلبية على المرأة وأيضاً على الأطفال. مثلاً، إذا شربت المرأة الكحول بسبب إجبار زوجها لها على

ذلك، قد يؤدي هذا إلى أن تصبح مدمنة، وإذا بقيت في العلاقة من أجل توفير الحماية المالية لأولادها، فقد يعني هذا أن الأولاد سيستمرون في مشاهدة العنف نحوها، وسيتأثرون بالعلاقة غير العادلة بين والديهما **(Davies, 1998)**.

حالة لورين مثال على الاستراتيجيات الآمنة للبقاء في العلاقة: -

لورين لديها ثلاثة أطفال أعمارهم (2، 5، 7) أعوام، زوجها هو والد الطفل الأصغر أما والد الطفلان الكبر فقد توفي منذ عامين عندما تزوجت جون تخلت عن عمل باجر زهيد كانت تعمل به، وأصبحت هي وأطفالها معتمدة على راتب جون وأيضاً على أهل زوجها الذين أعطوهما نقوداً وسمحوا لهما بالعيش في منزل يملكونه، جون يضربها ويقول لها: إذا حاولت تركي سوف احبسك ولن تحصلي أبداً على مال مني أو من عائلتي. خطة لورين هي البقاء لمدى طويل بعلاقة جيدة مع بيت حماها وتجعل جون يذهب للإرشاد، هي تأمل أن يدعمها بيت حماها في انخراط جون بالإرشاد، كما تريد أن تذهب للإرشاد الزواجي معه، وقد طورت خطة عمل لذلك وأصبحت قادرة على دعم نفسها وأطفالها. حماتها لطيفة وسوف ترعى الصغار بينما هي (والدتهم) تذهب لتعمل كمعلمة برامج كمبيوتر في مدرسة تقليدية، ولأن جون يضربها عندما تواجهه فيما يتعلق بعلاقته غير الشرعية بإمرأة اخرى فقد قررت أن لا تذكر ذلك كجزء من خطة الحماية لنفسها ولأطفالها **(Davies, 1998, pg. 85)**.

3- استراتيجيات الترك **Leaving Strategies:** -

ربما تخطط المرأة المعنفة أن تترك العلاقة الزوجية في أيام قليلة، سنوات قليلة، عدة سنوات إذا كانت خطة المغادرة ستأخذ بعض الوقت عنئذ فإن استراتيجيات الحماية والبقاء لها ستكون طويلة الأمد ومهمة. الاستراتيجية الآمنة للترك سواء أكانت قصيرة الأمد، أو طويلة محددة بتحليل المرأة لنسبة الخطر لديها، والمصادر الشخصية والعامة، والاستراتيجية نفسها. الخطة الآمنة للترك بالنسبة لبعض النساء قد تكون المشي خارج الباب، بالنسبة لأخريات قد يعني هذا إنهاء العلاقة ورفض الحديث معه أو رؤيته. الخطط طويلة الأمد غالباً تعتمد على حدث محدد في حياة المرأة المعنفة، المرأة ربما تترك العلاقة بعد أن تتخرج من الكلية، أو بعد أن تجد وظيفة، أو عند الوصول لسن التقاعد، أو عندما يتخرج أطفالها من المدرسة. وقد يتطلب ترك العلاقة أن تستعين النساء بالقانون. قد تشمل الخطة الآمنة للترك: الاستعداد للطلاق، الحصول على أمر بالوصاية على الأطفال، تقسيم الموجودات والمسؤوليات، تأمين صحي للأطفال، أمور الطواريء **Emergency**، أو شكلاً من السوكات القضائية التي قد تشمل: أوامر بالحماية، أوامر بالاعتقال، كذلك ضرورة التعامل مع الوصاية، الزيارة (كيف ستزور أولادها، وأين ستتم الزيارة، أو كيف سيزور الوالد أولاده)، أحقية العيش في مكان آمن. إن الأنظمة القانونية قد تزيد من صعوبة خطط المرأة المعنفة لأنها ستبقى تحت رحمة القانون وغالباً دون محامي لمساعدتها.

إن الزوج العنيف دائما وبشكل متكرر يستعمل تهديد القتل من أجل الوصاية أو انتزاع الأطفال، وذلك لثني المرأة عن ترك العلاقة الزوجية وطلب الطلاق.

قد تنتظر المرأة ولا تترك العلاقة الزوجية حتى تعرف أن زوجها لن يحصل على الوصاية أو حتى تتمكن من الدفع للمحامي، وربما تؤجل تركها لزوجها حتى يكبر احد الأولاد ويهتم بالصغار، وكذلك قد تنتظر حتى يكبر أولادها ويصبح لهم رأيهم في أين يحبون العيش ويأخذ القانون هذا بعين الاعتبار (**Davies, 1998**).

حالة كيرا **Cira's Case**: -

تحليل كيرا للخطر يشمل تأمين نقود لنفسها ولطفالها والعنف الجسدي من قبل زوجها. أعمار أطفالها 12 و14 وتريدهم أن يبقوا في المنزل نفسه، المدرسة نفسها، الجيرة نفسها، ثم الانتقال للكلية. هي تعمل على عمل جزئي والأجر ليس جيداً. عنف زوجها الجسدي كان قليلاً إلى أن ترك عمله وانتقل لعمل يكره أن يقوم به. عندما يعود للمنزل من العمل يقوم بدفعها، ويضربها أمام أولادها، هي قلقة حول إمكانية أن تصاب هي وأولادها بأذى خلال واحدة من هذه النوبات، ومن ثم سيكرهون والدهم إذا تكرر ذلك. خطة كيرا شملت استراتيجية حماية لأطفالها حيث تقوم بتغذيتهم وترسلهم لغرفهم ليقوموا بعمل وظائفهم قبل مجيء والدهم من العمل لن هذا هو الوقت الذي يصبح فيه عنيفاً. توضح لهم ان والدهم يصبح هكذا بسبب الضغط في العمل وأن سلوكه ليس خطؤهم كما تخبرهم أنها ستكون بخير وأنها لا تريد منهم محاولة مساعدتها. خطة كيرا شملت أيضاً أن تتحدث معهم وتراقبهم عن قرب إذا وجدت أن الأمر يستدعي العلاج سوف تأخذهم للمعالجة.

اشتملت استراتيجية الأمن لديها على تشجيع الزوج للبحث عن عمل مختلف يجعله يشعر بالاستمتاع ويكون ضغطه اقل، استجاب لهذا الاقتراح واتصل

مع عدد من وكالات الاستخدام. بدأت كيرا أيضاً البحث عن عمل بوقت كامل في حالة أن زوجها فقد وظيفته أو وجد عمل بأجر زهيد فإنها ستستفيد من هذا العمل، فكرت كيرا ايضاً أنه إذا وجدت عملاً بوقت كامل فإن زوجها سيشعر بضغط أقل، كما أنها ترى في سريرتها أنه إذا لم تتحسن الأمور فإنها ستكون في وضع جيد يمكنها من ترك العلاقة (طبعاً في حالة حصولها على عمل بوقت كامل) **(Davies, 1998, pg. 87)**.

الفصل السادس

العـــــــلاج

الفصل السادس

العــلاج

مقدمة

يعتبر العنف الموجه ضد الزوجة من القضايا التي تم الاهتمام بها من قبل الأخصائيين النفسيين والباحثين حديثاً. ونظراً لانتشار هذه المشكلة بشكل واسع ولخطورتها، ليس فقط على الزوجة بل وعلى الأطفال والأسرة والمجتمع بكامله، علينا أن لا نكتفي بمجرد سرد حقائق حول مفهوم العنف، وأسبابه، وانتشاره ... بل لابد من العمل بشكل جاد من أجل مساعدة هؤلاء النساء المعنفات ضحايا عنف الزوج، وأيضاً مساعدة الأسرة بأسرها بما فيها من زوج وأطفال، حتى نصل إلى الهدف المنشود من وراء الزواج، وهو تحقيق المودة والسكينة وتكوين أسرة منتجة.

وفي هذا الفصل سوف أحاول أن أعرض كيفية التعامل مع المرأة المعنفة من خلال عملية الإرشاد النفسي، خاصة وأن المرأة المعنفة، ووفق ما ذكرت سابقاً، تتعرض لمخاطر مختلفة بسبب العنف، منها الألم النفسي وتدني تقدير الذات، وأيضاً تعرضها للصدمة إثر حصول العنف. فخبرة العنف خبرة مؤلمة، وتحتاج المرأة المعنفة إلى من يساعدها من أجل التخفيف من أثر هذه الصدمة.

وكذلك لابد من تعليم المرأة المعنفة وتدريبها على المهارات التي تفتقر إليها مثل مهارات الاتصال، ومهارات حل المشكلات واتخاذ القرار، ومهارة تأكيد

الذات، سواء من خلال جلسات الإرشاد الفردي، أو من خلال مجموعات الإرشاد الجمعي للنساء المعنفات.

وتفرض حساسية وخصوصية هذه المشكلة نفسها كعقبة في وجه العلاج، خاصة وإنك لا تستطيع أن تقدم المساعدة الإرشادية إلا لمن يطلبها. والسؤال الذي يطرح نفسه الآن كم إمرأة معنفة لدينا تلجأ إلى الإرشاد النفسي لمساعدتها في مشكلتها، وهل بإمكانها حضور جلسات الإرشاد الفردي أو الجمعي كاملة حتى تتحقق الغاية، وهي مساعدة المرأة المعنفة على التكيف والتقليل من أثر الصدمة، وزيادة شعورها بالقوة والضبط، ورفع مفهوم الذات لديها. وتمكينها من اكتساب مهارات تمدها بالقوة وحسن التصرف.

الإرشاد / العلاج Therapy / Counseling

أهداف الإرشاد / العلاج The Goals of Counseling / Therapy

تذكر ماتلين Matlin (2000) أن علاج النساء المعنفات يجب أن يكون له ثلاثة أهداف:-

زيادة الأمن الشخصي للمرأة المعنفة.

زيادة إحساس المرأة (المسترشدة) بالقوة وتقدير الذات، والقدرة على الضبط.

تقليل الصدمة النفسية الناجمة عن العنف.

لقد تحدثنا فيما مضى عن كيف يمكن للمرأة المعنفة أن تحمي نفسها وأطفالها وذلك بأن تتجنب التعرض للإساءة من قبل زوجها كأن تترك المكان وتذهب لغرفة أخرى أو لبيت الجيران أو لأحد الأقارب وتحدثنا أيضاً عن إبعاد الأدوات والآلات التي استعملها في الضرب والتقليل من الأمور التي تؤدي إلى حصول الشجار.

استراتيجية الإرشاد **Counseling Methodology:**

إن مهارات الاتصال ضرورية جداً في التعامل مع النساء اللواتي تعرضن للعنف ولا بد للمرشد / المرشدة من أن يوظف الاستماع الفعال، التعاطف، عكس المشاعر، الإعادة وعكس المحتوى، التلخيص، التوضيح في الجلسات الإرشادية خلال جلساته مع هؤلاء النساء المعنفات أو المسترشدات.

الاستماع الفعال Active Listening. يلعب دوراً كبيراً، فمن خلاله يستطيع المرشد / المرشدة أن يفهم ما تقوله المسترشدة، ولا نعني بالاستماع هو استعمال حاسة السمع فقط وإنما الاهتمام بالحواس الثلاث: النظر (الرؤية)، الصوت (الإصغاء)، والإحساس. ففي حالة استعمال المسترشدة لكلمات تدل على توجه بصري فإن استجابة المرشد / المرشدة يجب أن تشتمل كلمات مثل "يظهر لي أن ، أرى أن". إن المسترشدة تعرف أن المرشد يستمع لها وتستطيع أن تشعر بذلك، وتميز أن المرشد مهتم بالإصغاء لها وهنا لابد من التركيز على أن وجود الرغبة في الاستماع الفعال من قبل المرشد / المرشدة شيء أساسي ومهم.

التوضيح Clarification. ويكون باستعمال سؤال موجه للمسترشدة حول ما هو غير واضح أو مبهم في ما قالته، ايضاً هذا السؤال يستخدم من قبل المرشد للتأكد من صحة ما سمع من المسترشدة، فالتوضيح يساعد المسترشدة على أن تكون أكثر انفتاحاً ووضوحاً.

الإعادة أو إعادة المحتوى Paraphrasing. ويقصد بها إيجاز جزء من محتوى الرسالة المقدمة من قبل المسترشدة بحيث تعمل على وصف شخص، فكرة، موقف. هذا يساعد المسترشدة على أن تركز على محتوى الرسالة التي قدمتها. مثال على كل من التوضيح والإعادة:

المسترشدة: إن حياتي ضائعة ولا فائدة منها.

المرشدة: تقولين إن حياتك ضائعة، ما الذي تقصدين بالضياع؟ (توضيح).

المسترشدة: أعني أنها بلا قيمة، أعيش فقط لأتلقى الإهانة والإساءة من زوجي فهو لا يجد سواي ليفرغ غضبه.

المرشدة: أفهم من كلامك أن معاملة زوجك لك تفقدك الاستمتاع بالحياة. (عكس محتوى).

عكس المشاعر Reflecting Feelings. هو إيجاز لمشاعر المسترشدة أو لتأثير جزء من الرسالة، فالمرشد / المرشدة يعكس مشاعر المسترشدة حول المحتوى الذي قدمته، مثلاً: ليندا تشعر بالضيق والألم (عكس مشاعر) نتيجة للضرب المبرح التي تتعرض له من زوجها)إعادة محتوى)، إن عكس المشاعر يساعد المسترشدة على أن تعبر عن مشاعرها بشكل أكبر، وتصبح أكثر وعياً لمشاعرها، وكذلك تميز بين مشاعرها بشكل دقيق. لنعد إلى المثال السابق:

المسترشدة: أجل ويجعلني اشعر بالحزن فأنا لا أعيش كبقية النساء في حياة زوجية هانئة.

المرشدة: أنا أحس معك، إنك تشعرين بالألم نتيجة سوء معاملة الزوج.

المسترشدة: نعم، الألم والقهر والشعور بالظلم، أنا أتمنى أن أقتله وأرتاح منه (تعبير أكثر عن مشاعرها).

إن المرشد / المرشدة بمشاركته المستردة في مشاعرها من خلال عكس مشاعرها المتعلقة بالضيق والألم والخبرة القاسية التي تمر بها يسهم في التخفيف عن المسترشدة خاصة عندما تجد أن هناك من يحس بمشكلتها وتستطيع أن تعبر بما يجول

بخاطرها من هموم ومشاكل له دون أن يلومها أو يستنكر ما تقوله بل وفوق هذا كله يشعرها أنه مقدر لمشكلتها ويشاركها الراي في الظلم الذي تعيشه، لنرى مثالاً آخر:

المسترشدة: أنا أحس بالقهر الشديد عندما يضربني زوجي ويطرحنى ارضاً أمام أولادي.

المرشدة: إن الضرب شيء مؤلم.

المسترشدة: أجل مؤلم ومهين ويجعلني مكتئبة دائماً.

لاحظ كيف أن عكس مشاعر المسترشدة بالقهر من قبل المرشدة وإحساسها بمشكلتها جعل المسترشدة تستجيب بانفتاح أكبر وتعبير أوسع عن مشاكلها.

التلخيص Summarizing. هو إعادة لمحتوى الرسالة وعكس للمشاعر المقدم من المسترشدة ويستفاد منه لقطع التقدم غير المنظم من قبل المسترشدة، أو لمعرفة المعنى العام من الرسالة، أو للربط ما بين رسائل المسترشدة. أو لمراجعة لما تم ذكره في الجلسة. يدل التلخيص على مدى المتابعة والاهتمام لما دار في الجلسة، وقد يطلب المرشد / المرشدة من المسترشدة أن تقوم هي بتلخيص لما دار بينهما.

إن علينا كمرشدين أن نكون على وعي بما قد يعيق عملية الاستماع الفعال مثلاً من الضروري عدم إصدار التقييمات والأحكام على رسائل المسترشدة حتى لو كانت غير متفقة مع ما نراه، على سبيل المثال: في حالة المسترشدة في المثال الأول فهي في شدة ضيقها وتالمها عبرت بقولها، المسترشدة: أنا أتمنى أن أقتله وأرتاح منه. ففي هذه الحالة فليس من المناسب أن يرد المرشد / المرشدة عليها بـ: "هل أنت مجنونة؟ ماذا تقولين". إن استجابة مثل هذه تجعل المسترشدة تتراجع وكذلك تشعر أن

المرشد / المرشدة لا يحس بمشكلتها وحجم معاناتها بل ويزيد من تدني اعتبار الذات لديها بوصها مجنونة وربما تكون قد سمعت مثل هذه الإهانات والشتائم اللفظية من قبل زوجها فيكون المرشد / المرشدة قد تصرف وكأنه صورة أخرى لذلك الزوج المسيء وكل هذا يسهم في إضعاف العلاقة بين المرشد / المرشدة والمسترشدة في وقت تكون المسترشدة أحوج ما تكون للتقبل وإيصال المودة والمحبة إليها.

التعاطف Empathizing. هو قدرة المرشد / المرشدة على فهم المسترشدة (أفكارها ومشاعرها) واكتساب الفهم (من خلال الإصغاء) وإظهار هذا الفهم من خلال الاستجابة لها وهو يعني أن نفهم المسترشدة من خلال إطارها المرجعي، ويرى روجرز عام 1961 "إذا كان بإمكاني أن أصغي لما يخبرني به الشخص الآخر، إذا استطعت أن أفهم كيف تبدو له الأشياء، إذا استطعت أن احس بالحالة الانفعالية للشخص عندها سوف اتمكن من أن أطلق قوى قوية للتغيير في داخله" (الزعبي، 1996).

إن بناء علاقة جيدة مع المسترشدة (المرأة التي تتعرض للعنف) يعتبر الخطوة الأولى في العملية الإرشادية، ولفعل ذلك، لا بد من: -

الفهم التعاطفي من قبل المرشد / المرشدة تجاه المسترشدة. حيث يرى المرشد/ المرشدة عالم المسترشدة كما تراه هي. أن يفهم المرشد / المرشدة الإطار الداخلي للمسترشدة ويعني الوصول للإطار الداخلي للمسترشدة من خلال الإصغاء الجيد واستخدام الأسئلة، يسأل هذه الأسئلة لنفسه: ماذا تشعر المسترشدة الآن؟، كيف ترى المسترشدة المشكلة.

الدفء والاهتمام: إن المسترشدة التي تعرضت للإساءة بحاجة لأن يشعرها المرشد / المرشدة بأهميتها وأنها إنسانة تستحق الاهتمام، وأن راحتها مهمة وضرورية وهذا يظهر من خلال الابتسام والنظر إليها (التواصل البصري معها). إن قيام المرشد / المرشدة بالاهتمام والاعتناء بالمسترشدة وإشعارها بالود، وإظهار القرب النفسي يسهم كثيراً في بناء وتقوية العلاقة الإرشادية. إن المرأة التي تعرضت للضرب تشعر بتدني اعتبار الذات وهي بحاجة للدعم النفسي والاجتماعي وأن إظهار الدفء والاعتناء بها يلعب دوراً في مساعدتها.

لابد للمرشد / المرشدة أن يظهر التقبل الإيجابي غير المشروط للمسترشدة ويتقبلها كما هي دون شروط، والابتعاد عن إصدار الأحكام والتقييمات عليها دائماً. إحترام أنسانية وفردية المسترشدة لا لشي وإنما لكونها بشراً.

إن وجود علاقة يسودها الجو الآمن والاتصال النفسي مع المسترشدة والتقبل الإيجابي غير المشروط لها واحترامها دون وجود شروط لذلك، يسهم في خلق الثقة ما بين المسترشدة و المرشد / المرشدة، وكذلك إشعارها بأهميتها وقيمتها وأنها إنسان يستحق الاحترام، يساعد المرأة المساء لها أن تعيد النظر بنفسها وأن ينمو لديها تقدير ذات إيجابي بدلاً من التقدير المتدني للذات الذي تكون نتيجة للضرب والإهانة من قبل الزوج.

إن التصديق بما تقوله يعتبر أمراً مهماً والمرأة المعنفة بحاجة لمن يصدق ما تذكره من خبرات، وحتى يقوم المرشد / المرشدة بتصديق ما تقوله المسترشدة ويشاركها حقيقة فإن عليه أن يوافقها على أن معاملة الرجل لها قاسية ومؤذية، وأنها سوف لن تعامل هكذا وهي لا تستحق أن يحصل لها، وأنها ليست السبب في الإساءة.

إن طريقة الإرشاد أو معاملة المرأة كندّ شيء مهم جداً، شعور المرأة بالمساواة وأنها عادية يأتي هذا من كونها تحصل على المساعدة من شخص يتقبلها كند. إن المشاركة في الخبرات الشخصية والمشاعر يسهم في شعور المرأة بالراحة والتخفيف مما تشعر به.

وقد قام كيلر **Keller (2000)** بإجراء دراسة حول خبرة المرأة المعنفة بعدم فهم الآخرين لها عندما تطلب المساعدة. وهدفت هذه الدراسة إلى معرفة ما الذي يجعل المرأة المعنفة تشعر أنها غير مفهومة، وما الذي يجعلها تشعر أن الآخرين يفهمونها عندما تطلب المساعدة، كذلك معرفة التضمينات السلوكية والانفعالية لعدم الشعور بالفهم. قام الباحث بإجراء مقابلات مستفيضة مع ثماني نساء معنفات، مستخدماً نمط المقابلات شبه المقننة.

إن شعور المرأة المعنفة بأنها غير مفهومة عندما تطلب المساعدة، له تضمينات سلبية متعددة على النساء اللواتي تمت مقابلتهن، تشمل: إقناعهن بالتخلي عن محاولات إنهاء العلاقة، وإمكانية التعرض للعنف في المستقبل، وتعرضهن لعواقب نفسية مؤلمة متعددة، وتجاهل وإنكار وإحلال مسؤولية الإساءة على عاتق المرأة المعنفة بدلاً من إيقاعها على عاتق الزوج المعتدي. وتعتبر هذه التضمينات مكونات أساسية لظاهرة عدم الفهم، ولردود الفعل غير المفيدة التي تصدر عن الناس الذين تخبرهم المرأة المعنفة عن الإساءة، كذلك لردود الفعل التي تصدر عن المعتدي. أشارت نتائج الدراسة إلى أنه لا بد من تدريب أخصائي الصحة النفسية على كيفية تحديد العنف المشتمل على العنف اللفظي والانفعالي، وليس العنف الجسدي فقط.

كما أشارت نتائج الدراسة إلى أن النساء اللواتي تمت مقابلتهن في موقف الإساءة يعشن خبرة الشعور بعدم فهم الآخرين لهن، والتحقير والتجاهل من قبل الآخرين لشخصية المرأة المعنفة مما ضخم المواقف النفسية للعنف.

مساعدة المسترشدة على أن تكون على اتصال مع الغضب والغيظ المكبوت لديها، النساء اللواتي تعرضن للضرب يشعرن أنه ليس لديهن الحق في الغضب، حتى في المجتمع فإن النساء يجب أن يكن دائماً وديعات ولطيفات ولا يفترض أن يغضبن أبداً. إن عكس المشاعر بقول شيء يشبه "أنت لابد أن تكوني غاضبة" فإن أغلب النساء يستجبن. "آه أنا لست مجنونة"، هؤلاء النساء ينزعن لتبرير وتحويل الغضب على أنفسهن ويشعرن بالألم والاكتئاب.

المرشد / المرشدة يساعد المسترشدة على أن تعبر عن حالة الغضب لديها. هناك طرق كثيرة يمكن أن تعبر المسترشدة عن غضبها: قد يتم عمل لعب دور ما بين المرشد / المرشدة والمسترشدة وفي هذا الدور تعبر المسترشدة عما بداخلها من غضب، فبدلاً من ان يتحول الغضب لألم واكتئاب تخرجه المسترشدة. مثال: يقوم المرشد / المرشدة بدور الزوج والمسترشدة بدور الزوجة كما يلي (ويتركها لتعبر عن غضبها).

المسترشدة (الزوجة): إن هذا شيء لا يطاق، لا يحتمل أوف.

المرشدة (الزوج): الحياة معي لا تعجبك.

الزوجة: اجل (وبصوت مرتفع) سئمت من هذه المعاملة: خلالفات، نزاع، وضرب.

الزوج: وماذا يمكنك أن تفعلي؟.

الزوجة: (تدق بقبضة يدها على الطاولة) سأفعل الكثير إن لم تغير معاملتك معي سأترك المنزل ولن أعود حتى تصبح حسن المعاملة والسلوك معي.

في الحوار السابق نرى كيف أن المرشدة جعلت المسترشدة تعبر حقيقة عما بداخلها من قهر وضيق وغضب ونرى ذلك من خلال إرتفاع الصوت، الدق على الطاولة.

إن المرأة عندما تتحدث عن خبراتها فإنها تسرد بعضاً من صفات الزوج الذي يقوم بضربها. بعد الاستماع لإثنتين أو ثلاثة من هذه الصفات يريها المرشد / المرشدة قائمة مرئية بالصورة المتعلقة بالرجل العنيف، فتصادق المرأة على صحتها ودقتها وتستجيب كيف عرفت ذلك، إن هذا يجعلها تعرف أنها ليست السبب في حصول العنف وأن سبب العنف هو شيء خارجي.

مرحلة الأسف أو الندم متوقع حدوثها من قبل الرجل الذي يؤذي زوجته إذا تركته من قبل؛ ويطلب منها المرشد / المرشدة استدعاء الأحداث التي حصلت معها ثم يخبرها أن سلوك الندم هذا سيعود ويتسارع. ماذا سوف تفعل عندما يتصرف الرجل بهذه الطريقة؟ في حالة عدم تركها لزوجها في السابق يجب على المرشد / المرشدة أن يحذرها من الأسف أو الندم المتوقع حدوثه، عمل لعب أدوار لردة فعل المسترشدة قد يجعلها تستعد لحالة الندم. كيف ستواجه توسله؟ إن عدم عودتها ابداً أمر هي ترددة بشأنه. صعوبات مادية فإن توسلاته قد تجبرها على العودة، على سبيل المثال استعمال وسيلة مثل أن يضع الإنسان يده في ماء ساخن ثم ينقله لوعاء فيه ماء

بارد جداً يولد لديه رغبة أو شعور أن هناك حاجة للماء الساخن فقد يعتبر جيداً في هذه اللحظة، إن هذا ربما يساعد في التاثير مع المرأة فيما يتعلق بالوحدة.

قد تقوم المرأة التي تركت زوجها بتكوين علاقة زواجية جديدة مباشرة، وستكون هذه المرأة في حالة سيئة جداً إذا فشلت في هذا الزواج، وعلى الأغلب فإن هذا هو الذي يحصل لأنها تكون في ظروف سيئة وغير مستعدة للزواج، إن المرشد / المرشدة هنا عليه أن يستعمل اي وسيلة ليدعم من قيمة الذات لدى الضحية، وتشجيع الرعاية بنفسها، ومساعدتها من أجل أن تكون قادرة على التحكم بحياتها، وتشجيعها لتكوين شبكة داعمة لها، وعندما تصبح قادرة على تجميع قوة كافية تجعلها مستقلة بنفسها يمكنها أن تبدأ علاقة زواج مع رجل جديد.

تخيل ماذا يردن أن يتحقق حتى يصبحن سعيدات، إنه مطلب غير عادي بالنسبة لمعظم المسترشدات، فهن لا يجدن أن لهن الحق في تقرير المصير أو الحصول على الراحة أبداً، إن العمل على تشجيع المرأةعلى أن تستكشف ما هي الأمور التي ستساعدها على أن تصبح أكثر استقلالية في حياتها.

في بعض الأحيان فإن المرأة تتعرض للجروح المستمرة وحتى الموت، مع تذكر أن المرأة المعنفة تميل للتقليل من الموقف الذي تتعرض له، المرشد / المرشدة عليه أن يؤكد على اهتماماته الخاصة من أجل أمن المرأة، أيضاً يكون المعالج حساساً للأسباب التي تجعل المراة لا تريد أن تترك العلاقة وأن احترام حق المرأة في عمل اختياراتها يشمل مراقبة عودتها للزوج العنيف، إن المرشد / المرشدة الحكيم لا ينصح المرأة بأن تعدل عن قرارها ولكن يساعدها على أن تفكر في الأمان في مخيلتها أو ذهنها، مثلا: هي تريد خطة للهرب، هل لديها نقود لكي تقوم بالهرب؟، هل اتفقت مع معارفها

على إخفاء ممتلكاتها عندهم؟، هل اتفقت مع الجيران على أن يتصلوا بالشرطة عندما يسمعوا صراخها؟.

في إرشاد النساء اللواتي قررن العودة للمنزل المليء بالعنف من الضروري مساعدتها لوضع شروط لعودتها، وذلك بأن نطلب منها ما هي الأمور التي تريد أن تتغير في حياتها ونطلب منها أن تضعها كشروط لعودتها. مثلاً تريد أن يهتم زوجها بها ويعاملها معاملة حسنة، تضع هذا كشرط لعودتها، وتذكيرها أنه في حالة الندم فإن وعوده سرعان ما ينساها لمجرد أن تعود للمنزل (**Wet Zel & Ross, 1998**).

التعامل مع الزوج الذي يمارس العنف وإرشاده بشكل فردي وذلك بأن يتحمل مسؤولية الإساءة التي قام بها تجاه زوجته وإشعاره بوجود بدائل أمامه عوضاً عن حل النزاعات بالضرب فهناك النقاش والحوار الذي يسوده الاحترام المتبادل والذي يمكن من خلاله الاتفاق على كثير من الأمور التي قد تسبب الخلاف ويمكن للزوجة أن تشترط ذهاب الزوج لمكاتب الإرشاد الزواجي لعودتها للحياة معه (**Matlin, 2000**).

إرشاد الزوج لضرورة احترام الزوجة والتعامل معها برفق، وإعطائه معلومات حول الزواج فهو علاقة اساسها المودة والرحمة، وهذا ما ذكره الله عز وجل في كتابه العزيز (ومن آياياته أن خلق لكم من انفسكم أزواجاً لتسكنوا إليها وجعل بينكم مودة ورحمة) (سورة الروم، آية 21).

والتركيز على أهمية استخدام الحوار بدلاً من العنف، وأثر التعامل بهدوء مع الزوجة، لحل الصراعات والخلافات على استمرارية حياتهما الزوجية بشكل ناجح.

إن نصح المرأة بالعيش بعيداً عن الزوج أو الانفصال عنه لمصلحة الزواج ربما يبدو ذلك أمراً فيه تناقض فمن خلال العمل مع الرجال الذين يضربون زوجاتهم فإن الدافع الوحيد لتغيرهم يأتي من تصميم الزوجة للوقوف بوجهه بقوة.

يرى بيك أن الأبنية المعرفية (السكيمات) التي توجد لدى بعض النساء اللوتي يتعرضن للضرب ويقصد هنا بالأبنية المعرفية كيف ينظر الأفراد للعالم، معتقداتهم، وافتراضاتهم ولأنفسهم، الناس، الأحداث، والبيئة تلعب دوراً كبيراً في سلوك وحياة البشر، مثلاً: كأن يكون لدى موظف ناجح بناء معرفي عن نفسه "أنا ما أفعل أو أنتج"، "الإنسان يقيم من قبل الآخرين عن طريق انتاجيته". ولنعد الان للمرأة التي تعرضت للضرب فمن هؤلاء النساء من يحملن أفكاراً سلبية بشكل ابنية معرفية لديهن تجعلهن عرضة للاستمرار تحت الإساءة، من هذه الأفكار: "أنا دائما أخطىء واستحق الضرب"، "أنا المسؤولة عما يحصل لي في هذه الحياة"، على المرشد / المرشدة أن يعمل على مساعدة المسترشدة لتحديد الأفكار الآلية الموجودة لديها وذلك بأن يطلب منها أن تراقب نفسها من خلال الاحتفاظ بتسجيل للأحداث، المشاعر، والأفكار وهو ما يعرف بالتسجيل للأفكار غير الوظيفية **DTR** وسنعرض لاحقاً جدولاً لذلك، ويمكن للمرشد / المرشدة أن يطلب ذلك من المسترشدة كوظيفة أو واجب بيتي تحضره في الجلسة القادمة، وبعد أن يتم تحديد الأفكار الآلية لدى المسترشدة يعمل المرشد / المرشدة على مناقشتها مع المسترشدة مستعملاً أسلوب الحوار السقراطي أو أسلوب الثلاثة أسئلة ويشتمل على ثلاثة أسئلة تساعد المسترشدة على تعديل التفكير السلبي، كل سؤال يسهم في البحث إلى مدى أعمق داخل المعتقدات السلبية وإحداث التفكير الموضوعي، هذه الأسئلة هي: ما هو الدليل على

الاعتقاد؟، كيف يمكن أن تفسري الموقف؟، إذا كانت صحيحة ماذا يعني (أو ماذا سيكون متضمناً)؟ (Sharff, 1996).

مثال توضيحي:

المسترشدة: إن زوجي سيضربني، أنا اعرف أنا استحق أن يضربني، فأنا لا أعمل إلا ما يستجق الضرب.

المرشدة: أنت قلت قبل قليل أن زوجك سوف يضربك وأنك تستحقين الضرب ما هو دليلك على هذا الاعتقاد؟

المسترشدة: دليل، ليس لدى اي دليل، إنما أنا فقط أشعر بهذه الطريقة.

المرشدة: أنت فقط تشعرين بهذه الطريقة، كيف تنظرين للأمر؟

المسترشدة: أنا أخمن أنني ليس دائماً أستحق أن أضرب.

المرشدة: إذا حقيقة قام زوجك بضربك ماذا يعني ذلك؟

المسترشدة: إن هذا ربما يحدث، أعتقد أنني ليس من حقه أن يضربني.

لاحظ هنا كيف أن المرشدة ساعدت المسترشدة على الانتقال من مرحلة أنها تستحق الضرب إلى مرحلة ليس من حق زوجها أن يضربها.

وبعد ذلك تساعدها المرشدة على أن أفكارها التي تحملها هي التي تسبب لها المعاناة وأنه في حالة إيقاف مثل هذه الأفكار فإن الأمور ستصبح أفضل وتغييرها لأفكار تكيفية وهذا ما يقصد به إعادة البناء المعرفي.

جدول رقم (1)

توجيهات: عندما تلاحظ أن مزاجك أصبح يسوء، إسأل نفسك ماذا يدور بذهني الآن صحيحاً؟ وكما هو ممكناً دون الأفكار أو الصورة العقلية في عمود الأفكار الآلية.

وقت/ تاريخ	الموقف Situation	الأفكار الآلية Automatic Thoughts	الإنفعالات Emotions	الإستجابة العقلية Rational Response	النتائج Out Come
	1- حدث حقيقي يؤدي إلى انفعال غير سار أو 2- تدفق من الأفكار، أحلام يقظة تقود إلى انفعال غير سار أو 3- حالات معانات جسدية	1- أكتب الأفكار الآلية التي تسبق الإنفعالات. 2- قدر الإعتقاد في الآلية من 0-100%	1- حزين بالتحديد قلق/غاضب، إلخ. 2- قدر درجة الإنفعال من 0-100%	1- أكتب الإستجابة العقلية، الأفكار الآلية. 2- قدر الاعتقاد في العقلانية من 0-100%	1- إعادة تقدير الاعتقاد في الأفكار الآلية من 0-100% 2- حدد وقدر الانفعالات اللاحقة من 0-100%

أسئلة تساعد في تشكيل استجابة منطقية: 1- ما هو الدليل على أن الأفكار الآلية صحيحة؟ غير صحيحة؟. 2- هل توجد بدائل مشروحة؟. 3- ما هو الأسوء الذي يمكن أن يحصل؟ هل أستطيع أن أعيش خلالها؟ ما هو الأفضل الذي يمكن أن يحدث؟ ما هي النتائج الأكثر واقعية؟ 4- ماذا يجب علي أن أفعل فيما يتعلق بها؟ 5- ما هو مدى تأثر سلوكي بالأفكار الآلية؟ ما هو أثر تغيير تفكيري؟ 6- إذا (اسم الصديقة) كانت في هذا الموقف ولديها أفكارها ماذا سوف أخبرها.

إعادة العزو: حيث تقوم المسترشدة بعزو مسؤولية المواقف أو الأحداث لنفسها عندما تكون لديها مسؤولية قليلة عنها تلقي باللوم على نفسها، تشعر بالذنب أو الاكتئاب، إن استعمال أسلوب إعادة العزو يقوم على مساعدة المسترشدين لعدم عزو المسؤولية عن الحدث لأنفسهم موضحاً أن في حالة كون المشكلة متعلقة بعلاقة (طرفين أو أكثر) فإن كل منهما يسهم فيها، قبدلاً من أن تحمل المسترشدة أفكاراً تتعلق بمسؤوليتها عما يحصل لها يمكهنا أن تفكر في طريقة أخرى فالمشاكل التي يكون فيها اكثر من طرف يسهم الطرفان فيها، وفي حالة تعرضها للضرب من قبل الزوج فهنا يكون هو المسؤول عن الإساءة (**Sharff, 1996**).

ويرى إليس أن الاضطرابات النفسية هي نتاج للتفكير غير العقلاني الذي يتبناه الإنسان وهو يعتقد أن السبيل للحد من المعاناة الإنسانية هو التخلص من أنماط التفكير غير العقلانية ويرى أن المشكلات النفسية لا تنجم عن الأحداث والظروف بحد ذاتها وإنما عن تفسير الإنسان وتقييمه لتلك الأحداث (الخطيب، 1995).

وتحدث إليس عن دور المعتقدات التي يحملها الفرد في التأثير على مشاعره وسلوكه، فالمرأة التي لديها معتقدات حول علاقتها بزوجها مضمونها أنه لا يحبها، يؤدي ذلك لأن تشعر بالكراهية نحوه، مما يجعلها تسلك معه بشكل ينسجم مع هذه المعتقدات وهنا تحصل النزاعات والخلافات ويقوم الزوج بالاعتداء ضرباً على زوجته وكذلك في حالة اعتقاد الزوج أن زوجته متكبرة ودائمة تتعمد التقليل من شأنه، فهذا يولد لديه مشاعر قوية بالغضب والضيق مما يؤدي إلى قيامه بالسلوك العدواني عليها وبناء علىالعلاج العقلاني السلوكي العاطفي لإليس فهو يرى أن المعالجة تشمل مواجهة الأنسان وتحديه بهدف تفنيد تلك الاعتقدادات ودحضها وتطوير طرق جديدة في التفكير تتصف بالعقلانية، على المرشد / المرشدة أن يقوم بمناقشة هذه الأفكار مع المسترشدة وإيضاح مدى المنطقية فيها وبعد ذلك أي بعد إقتناع المسترشدة بعدم منطقية فكرتها المتعلقة بأن زوجها لا يحبها فإنه يساعدها على إيجاد أفكار إيجابية بديلة تحل محل تلك السلبية وتعمل على تكرارها لتصبح هي الكثر وجوداً وبالتالي فإن المرأة عندما تغير فكرتها عن علاقتها بزوجها تتحسن مشاعرها نحوه وتسلك بطريقة تنم عن حبها له. مثال: -

المسترشدة: إنه يكرهني ويتعمد إيذائي، لابد أنه يحب إمرأة غيري.

المرشد: من الذي أخبرك عن هذه الاعتقادات الموجودة لديك؟

المسترشدة: لم يخبرني أحد بذلك، أنا فقط أعرف ما يدور في ذهنه.

المرشد: أنت الوحيدة التي تعرفين ما الذي يدور في ذهنه ماذا تعنين في ذلك؟

المسترشدة: أنا زوجته وأعرف أنه لا يحبني لا يحبني.

المرشد: أنت أخبرتني قبل قليل أنه لا يحبك ما هو دليلك على هذا الاعتقاد؟

المسترشدة: ليس لدي دليل وإنما أنا احس بذلك.

المرشد: أنت فقط تشعرين بذلك، كيف ترين الأمور؟

المسترشدة: إنه يعود متعباً من العمل ولا يكلمني، وعندما أسئله عن ذلك فإنه يغضب ويثور علي.

المرشد: أنت توصلت لعدم محبته لك من خلال غضبه عليك، الا ترين أنه قد يكون تعرض لضغوط في العمل؟

المسترشدة: أجل إنه دائماً يخبرني أن عمله متعب ومرهق.

المرشد: أرأيت عمله مرهق، إذاً هو بحاجة لأن يأخذ قسطاً من الراحة والهدوء بعد عودته من عمله أليس كذلك؟

المسترشدة: أجل أنت محق في ذلك ولكني دائماً أزعجه وهو نائم وأطلب منه الاستيقاظ ليتحدث معي.

المرشد: أرأيت كيف أن كلامك أنه يكرهك أصبح الآن غير منطقي فإنت حكمت على كراهيته لك لآنه يعود متعباً ويحتاج للراحة وأنت لا توفرينها له.

التخفيف من قلق ما بعد الصدمة

Reducing of Posttraumatic Stress Disorder

إن المرأة التي تتعرض للعنف تمر بحالة من (PSTD اضطراب قلق ما بعد الصدمة) وهنا لابد من أن يعمل المرشد على تخفيف الأعراض. ولابد من التعرف على معايير الدليل التشخيصي الفارقي الرابع **DSM-IV** لهذا الاضطراب لأعراض هذا النوع من القلق:

أن يكون الشخص قد واجه حدثاً مؤلماً وصادقاً ويظهر ما يلي عند التشخيص:

إن الشخص قد اختبر أو واجه حدثاً او احداثا تتضمن موتاً حقيقياً أو تهديداً بالموت، أو إصابة شديدة، أو تهديداً لسلامة الجسم الخاص بالفرد أو الآخرين.

استجابة الفرد قد تتضمن خوفاً شديداً، العجز، عديم الحيلة، أو يكون مغلوباً على أمره. (عند الأطفال يمكن أن يختبروا بدلاً من ذلك سلوكاً غير منظم أوسلوكاً متهيجاً).

الحدث الصادم يستمر أو يعاد اختباره بطريقة أو أكثر من التالية:

إعادة تذكر الحدث بشكل متكرر بما يتضمنه من تخيلات، أفكار، معتقدات، أو إدراكات (ملاحظة في الأطفال اللعب المتكرر يمكن أن يظهر أبعاداً من الصدمة المعبر عنها).

الحلم المتكرر بذلك الحدث - الأحلام المزعجة والشديدة بذلك الحدث.

التصرف أو الشعور كما لو أن الحدث الصادم / أو الأحداث الصادمة يعاد حدوثها (أو تكرر)، يتضمن إعادة عيش الخبرة، الهلاوس، الهذيانات، نوبات من الفلاش باك (تخيل الموقف السابق واسترجاعه)، سواء التي تحدث أثناء اليقظة أو الاستغراق في النوم).

معاناة نفسية شديدة عند مواجهة الإشارات (المثيرات) الداخلية أو الخارجية التي ترمز إلى الحدث الصادم.

تجنب مستمر أو متكرر للمثيرات المرتبطة بالصدمة كما تشير إليها الأمور التالية 0ثلاثة أو أكثر):

جهود لتجنب الأفكار، المشاعر، الحوار المرتبط بالصدمة.

جهود لتجنب الأنشطة، الأماكن أو الناس الذين يثيرون الذكرى بالموقف بالصدمة.

عدم القدرة على تذكر ابعاداً هامة من الصدمة.

انخفاض ملحوظ في الميل أو المشاركة في أنشطة هامة.

الشعور بالانفصال أو العزلة عن الآخرين.

مدى محدود من المشاعر (تقييد لمشاعره) (مثلاً عدم القدرة على أن يحصل على مشاعر الحب).

الإحساس بضحالة المستقبل (لا يتوقع الحصول على مهنة، زوج، أطفال، حياة طبيعية).

أعراض مستمرة من الإثارة المتزايدة (لم تظهر قبل الصدمة) كما يشار إليها في الأمور التالية (إثنتان أو أكثر).

صعوبة الاستمرار في النوم.

يقظة زائدة.

صعوبات في التركيز.

٥- مدة استمرارية الاضطراب (الأعراض في ب، ج، د) أكثر من شهر.

الاضطراب يسبب معاناة أو كرباً إكلينيكياً أو خلل في الأداء الوظيفي والاجتماعي أو مجالات الوظائف الأخرى.

حدد فيما إذا كان:

الإضطراب حاداً: استمرارية الأعراض أقل من 3 شهور.

الإضطراب مزمن: استمرارية الأعراض 3 أشهر أو أكثر.

حدد فيما إذا كانت البداية للأعراض على الأقل بعد 6 شهور من الحدث الصادم أو المؤلم (**DSM IV, 1994, pg. 424-425**).

كيف يمكن أن يعمل المرشد / المرشدة على التعامل مع هذا القلق؟ من بين الأساليب المستعملة:

- الاسترخاء **Relaxation:**

الاسترخاء العضلي يشتمل على أحداث توتر واسترخاء في مجموعات عضلية معينة على نحو متعاقب، يتم فيه مساعدة المتعالج على التمييز بين حالة الاسترخاء

وحالة التوتر على افتراض أن ذلك يساعد في الوصول إلى أقصى درجة ممكنة من الاسترخاء.

خطوات الاسترخاء: -

بعد أن تجلس العميلة على كرسي مريح يبدأ المعالج بقوله سأقوم بتدريبك على الاسترخاء العميق، وذلك من شد مجموعة من العضلات ثم إرخائها. وسأقوم بتقديم تعليمات لك استمع لها جيداً فهي ستزيد من قدرتك على الاسترخاء. ثم يبدأ بتقديم خطوات التدريب على الاسترخاء.

هذه الخطوات مقترحة من قبل مارتن وبيير **Martain & Pear (1982)**:

استمع جيداً لما سأقدمه لك من تعليمات. إنها ستزيد من قدرتك على الاسترخاء. الآن أغمض عينيك وتنفس بعمق ثلاث مرات (10 ثوان صمت).

أغلق راحة يدك اليسرى بقوة. لاحظ أن عضلات يدك بدأت تنقبض وتتوتر (5 ثوان صمت). والان افتح يدك واسترخ (5 ثوان صمت).

أغلق راحة يدك اليسرى بقوة مرة أخرى. لاحظ التوتر الذي تشعر به (5 ثوان صمت). والآن استرخ وفكر بزوال التوتر من عضلات يدك (10 ثوان صمت).

والآن أغلق راحة يدك اليمنى بكل قوة ممكنة. لاحظ كيف توترت أصابعك و يدك وذراعك (5 ثوان صمت). والآن افتح يدك اليمنى. لاحظ الفرق بين ما كانت عليه من توتر وما هي عليه الآن من استرخاء (5 ثوان صمت).

مرة اخرى أغلق راحة يدك اليمنى بإحكام. لاحظ ما هي عليه الآن من توتر (5 ثوان صمت). مرة أخرى أفتح راحة يدك واسترخ _10 ثوان صمت).

أغلق راحة يدك اليسرى بإحكام واثن ذراعك بقوة حتى تتوتر العضلة ذات الرأسين في أعلى ذراعك. ابق يدك كما هي (5 ثوان صمت). والآن استرخ كاملاً. لاحظ الدفء الذي ينتشر في ذراعك ويدك وأصابعك (10 ثوان صمت).

والآن أغلق راحة يدك اليمنى واثن ذراعك بقوة كي تتوتر العضلة ذات الرأسين في أعلى الذراع. أبق ذراعك كما هي واشعر بالتوتر (10 ثوان صمت). والان استرخ كاملاً وركز على ما تشعر به من استرخاء ودفء (10 ثوان صمت).

والان أغلق راحة يدك اليسرى وراحة يدك اليمنى بكل قوة ممكنة. اثن ذراعيك بقوة ايضاً. أبق ذراعيك في وضعهما هذا. لاحظ التوتر الذي تشعر به الآن (5 ثوان صمت). والآن استرخ واشعر بالدفء (10 ثوان صمت).

والآن لننتقل إلى جبينك وعينيك. أغمض عينيك بقوة لاحظ التوتر في مقدمة رأسك وفي عينيك. الآن استرخ ولاحظ ما تشعر به من استرخاء (10 ثوان صمت).

والآن لننتقل إلى فكيك. اطبقهما بقوة وارفع ذقنك بقوة إلى الأعلى كي تتوتر عضلات رقبتك. إبق كما أنت. الآن اضغط إلى الأسفل بقوة. أغلق شفتيك بقوة (5 ثوان صمت). الآن استرخ (10 ثوان صمت).

والآن أغمض عينيك وأطبق فكيك وارفع ذقنك إلى الأعلى بقوة وأغلق شفتيك. إبق كما أنت. لاحظ التوتر في جبينك وعينيك وفكيك ورقبتك و شفتيك. الان استرخ كاملاً واستمتع بالاسترخاء الذي تشعر به (15 ثانية صمت).

والآن ادفع كتفيك بقوة إلى الأمام إلى أن تشعر بتوتر شديد في عضلات الجزء الأعلى من ظهرك. اضغط بقوة. إبق كما أنت الان. استرخ (10 ثوان صمت).

ادفع كتفيك إلى الأمام بقوة مرة أخرى وفي نفس الوقت ركز على عضلات بطنك. شدها إلى الداخل إلى أقصى درجة ممكنة. لاحظ التوتر في منطقة المعدة. ابق كما أنت (5 ثوان صمت). الآن استرخ (10 ثوان صمت).

مرة أخرى ادفع كتفيك إلى الأمام بقوة وشد عضلات بطنك. أشعر بالتوتر في الجزء العلوي من جسمك. الآن استرخ (10 ثوان صمت).

الآن سنعود مرة أخرى إلى العضلات السابقة. أولا تنفس بعمق ثلاث مرات (10 ثوان صمت). أغلق راحة يدك اليسرى وراحة يدك اليمنى واثن ذراعيك. أغمض عينيك بشدة. اطبق فكيك وادفع بقوة بهما إلى الأسفل ثم ارفع ذقنك وأغلق شفتيك بقوة. لاحظ التوتر في كل جزء من جسمك. الآن استرخ. تنفس بعمق واستمتع بزوال التوتر. فكر بالاسترخاء العام في كل عضلاتك في ذراعيك وراسك وكتفيك وبطنك. كل ما عليك عمله الآن هو الاسترخاء (10 ثوان صمت).

لننتقل الآن إلى رجليك. اضغط على كعبك الأيسر إلى الأسفل وارفع أصابع رجلك حتى تشعر بتوتر شديد في رجليك (5 ثوان صمت). الآن استرخ (10 ثوان صمت).

مرة اخرى اضغط على كعبك الأيسر إلى الأسفل بقوة وارفع اصابع رجلك حتى تشعر بتوتر شديد في رجلك. الآن استرخ (10 ثوان صمت).

الآن اضغط على كعبك الأيمن بشدة وارفع أصابع رجلك حتى تشعر بتوتر شديد. الآن استرخ.

الآن سننتقل إلى الرجلين. اضغط على كعبيك إلى الأسفل بقوة وارفع أصابع رجليك إلى أقصى درجة ممكنة. إبق كما أنت (5 ثوان صمت). الآن استرخ (10 ثوان صمت).

والآن تنفس بعمق ثلاث مرات (5 ثوان صمت). شد العضلات التالية كما فعلت قبل قليل: راحة اليد اليسرى والعضلة ذات الرأسين في ذراعك الأيسر وراحة اليد اليمنى والعضلة ذات الراسين في ذراعك الأيمن والجبين والعينين والفكين والرقبة والشفتين والكتفين والبطن والرجل اليسرى والرجل اليمنى. إبق كما أنت (5 ثوان صمت). الآن استرخ (10 ثوان صمت). تنفس بعمق ثلاث مرات وبعد ذلك مارس تمارين التوتر (5 ثوان صمت). وتمارين الاسترخاء (5 ثوان صمت). الان تنفس كالمعتاد واستمتع بالاسترخاء العام في جسمك (30 ثانية صمت) (الخطيب، 1995).

هناك 15 مجموعة من العضلات يجب أن تخضع لعمليات الشد والاسترخاء وفقاً لما ذكر **Rimm And Masters** والمجموعات هي: -

عضلات اليدين **Hands**: الشد أولاً ثم استرخاء الأصابع، شد ثم استرخاء.

عضلات الذراعين والعضد **Biceps and Triceps**: شد عضلات اليدين ثم استرخاء، شد عضلات العضد ثم استرخاء.

عضلات الكتفين **Shoulders**.

عضلات الرقبة **Neck**.

عضلات الفم **Mouth**.

عضلات اللسان **Tongue**: مد اللسان.

عضلات اللسان (سقف الحلق وأارضية الحلق).

(Tongue: mouth roof and floor)

عضلات العيون والجبين **Eyes and fore head**.

عضلات الرئتين **Breathing**.

عضلات الظهر **Back**.

عضلات الجذع **Midsection**.

عضلات الفخذين**Thighs** .

عضلات المعدة **Stomach**.

عضلات بطتي الساق والقدمين **Catves and feet**.

عضلات أصابع القدمين **Toes**. **(Rimm and Masters, 1979)**

تقييم درجة الاسترخاء: -

إن تقييم قدرة المسترشدة على الاسترخاء تعتمد بشكل جزئي على ذكرها أو تقريرها لدرجة الدفء والهدوء التي أوجدها الاسترخاء عندها، وأيضاً يعتمد على

التعبيرات التي جمعت من خلال ملاحظتها. ويرى ولبي أنه من المفيد أن يكون هناك مؤشرات موضوعية عن الاسترخاء. جاكوبسون (Jacopson, 1939) استعمل مقياس كهربائي، ولكنه كمقياس تعزيزي فقط. (Wolpe, 1982)

ويمكن للمعالج أن يحدد درجة فاعلية الاسترخاء وذلك بأن يطلب من المسترشدة أن تشير على مقياس مكون من (10) درجات وتحدد كيف تشعر. بحيث تشير الدرجة (10) إلى درجة قلق عاليةِ والدرجة (1) تشير إلى استرخاء تام. معظم المسترشدات يصلن لحالة الاسترخاء بسرعة من المرة الأولى، ويشيرن لمستوى ضعيف من القلق حوالي (3) أو أقل على مقياس العشر درجات. ومع الممارسة المستمرة فإن درجة القلق تنخفض أكثر، ومع الجلسات الإضافية يصبح ليس من الغريب أن تشير المسترشدة إلى الدرجة (1).

أن من أهداف المعالج هو أن تصبح المسترشدة قادرة على تطبيق الاسترخاء بنفسها، وبهذا فإن المعالج يطلب من المسترشدة أن تمارس الاسترخاء في المنزل لوحدها. ربما كل ليلة وهي في فراش النوم. وإذا ذكرت المسترشدة أن لديها صعوبة في إعطاء التعليمات لنفسها يمكن للمعالج أن يسجل جلسة استرخاء على شريط ويطبق ذلك.

في حالة عدم تمكن المسترشدة من الاسترخاء علىالمعالج تحري الأسباب التي تحول دون الوصول لحالة الاسترخاء. ربما تكون مجموعة محددة من العضلات لم تسترخ فتقوم بعمل تدريب لهذه العضلات (Rimm and Masters, 1979).

المدة التي تستغرقها جلسة الاسترخاء

تستغرق جلسة الاسترخاء في البداية من 30-40 دقيقة. ويعتمد ذلك على قدرة المسترشدة على الاستمرار في الاسترخاء، وكذلك على قدرة المعالج فبعض المعالجون يصابون بالإرهاق. ومع الممارسة والتدريب يقل الوقت اللازم لوصول الفرد لحالة الاسترخاء فيصبح الوقت المحدد للاسترخاء أقل (**Agras, 1972**).

تقليل الحساسية عن طريق العين: Eye Movement Desensitization:

قام كولوسيتي وثاير **Colossetti & Thyer (2000)** بإجراء دراسة حول فعالية أسلوب تقليل الحساسية عن طريق حركة العين **Eye Movement Desensitization and Reprocessing (EMDR)** مقابل التدريب على الاسترخاء لعلاج الزوجات اللواتي يتعرضن للضرب. واسلوب تقليل الحساسية عن طريق حركة العين صممه **Shapio** عام 1989 للتعامل مع قلق ما بعد الصدمة، ويتطلب من الزوجة أن تتخيل في ذاكرتها الأحداث الصادمة، وأن تحافظ على الوعي بالأفكار السلبية والمشاعر المؤلمة و/أو الأحداث الجسدية المرافقة لاستجابة القلق. وتقوم الزوجة بإعادة العبارات السلبية المرتبطة بالحالة، ثم تتبع الزوجة بعينها حركة إصبع المعالج للأمام والخلف. عند توقف حركة العين والإصبع على الزوجة أن توقف التفكير بالأثر الصادم وتأخذ نفساً عميقاً. ويتم تكرار هذه الخطوة وإعادتها حتى يخف القلق لدى الزوجة.

وقد اشتملت عينة الدراسة على خمس نساء يعانين من قلق ما بعد الصدمة الناجم عن تعرضهن للضرب. وتدور إحدى فرضيات الدراسة حول أن العلاج بـ **(EMDR)** سوف ينتج عنه انخفاض كبير في القلق، أكثر من ذلك الناتج عن

العلاج بالاسترخاء ((Relaxation therapy (RT)). وقد عبرت النساء أثناء المقابلة الأولى عن خبرتهن الصادمة التي مررن بها، وفي بداية كل جلسة كان يطلب من النساء تعبئة قائمة بيك للقلق **Beck Anxiety Inventory (BAI)**، ومقياس أثر الأحداث **Impact of Events Scale (IES)** الذي يتكون من (15) عاملاً، وهو أداة تقرير ذاتي تعطي قياساً للضغط المرتبط بحدث صادم سابق. بعد ذلك حصلت كل امرأة على معالجة على النحو التالي:-

جمع بيانات دون علاج رسمي.

التدريب على الاسترخاء أسبوعياً.

العلاج باستخدام (EMDR).

أشارت نتائج الدراسة إلى أن امرأة واحدة فقط من الخمس نساء حققت نتائج جيدة عندما استعمل معها (EMDR) واستمر التحسن لديها حتى بعد شهر من المتابعة.

التحصين ضد التوتر **Stress Inoculation**: -

طور بوساطة ماكينيوم وهي طريقة تقوم على أساس مقارنة التوتر أو الضغط عن طريق برنامج يعلم المسترشدة كيف تتعامل أن تواجه مواقف متدرجة للضغط. يعتقد ماكينيوم أن الأفراد يتعاملون مع السلوكات الضاغطة عن طريق تغيير معتقداتهم حول السلوكات والعبارات التي يقولونها لأنفسهم حول طريقتهم في التعامل مع الضغط. إن العبارات التي يقولها الشخص لنفسه حول الموقف الضاغط

وقدرته على التعامل معها التي تؤثر على سلوكه في هذا الموقف. هذا الأسلوب يمر في ثلاث مراحل: -

الإعداد: -

تهدف لأن يصبح الفرد أكثر وعياً لطبيعة الضغط، يتم جمع معلومات حول كيف يفكر الشخص بالمشكلة، يعطى الانتباه هنا للعبارات الذاتية حول الموقف الضاغط، والمشاعر ومراقبة السلوكات الناتجة. مثلاً: يشير المعالج إلى أن المعتقدات والانفعالات خلقت الضغط وعملت على استمراريته وليس الأحداث نفسها هي التي تسبب الضغط **(Sharff, 1996)**.

إكتساب المهارات: -

يتم تعليم المسترشدة مهارات معرفية وسلوكية متنوعة تتضمن

تدريب على الاسترخاء (وقد تم الحديث عنه سابقاً).

وإعادة البناء المعرفي الذي يشير إلى تغيير الأفكار السلبية إلى أفكار تكيفية، ويعتبر أسلوب إعادة البناء المعرفي من الأساليب المعرفية الثابتة الاستخدام لمساعدة الأفراد على زيادة تكيفهم، وزيادة دافعيتهم للتعامل مع المواقف الضاغطة، ويقوم أسلوب إعادة البناء المعرفي على افتراض أن إعادة بناء الفرد المعرفي وتنظيم أفكاره نحو نفسه والعالم سيقود إلى إعادة تنظيم سلوك الفرد أو المسترشد، وهكذا فالمبدأ الأساسي لإعادة البناء المعرفي ينطلق من أن جميع الاستجابات الانفعالية غير التكيفية تتاثر بالمعتقدات والاتجاهات والتوقعات التي يحملها المسترشد في نظامه المعرفي، وبالتالي فهذا الأسلوب يحاول مساعدة الأفراد على الوعي بالعلاقة ما بين الجانب المعرفي وردود الفعل الانفعالية أو السلوكية، ولهذا فإن الخطوة الأولى في هذا

الأسلوب في العمل على تحديد الأفكار الهدامة للذات وثم استبدالها بمحتويات معرفية إيجابية.

ويتكون أسلوب إعادة البناء المعرفي من الخطوات التالية: -

تقديم مبرر منطقي وإعطاء فكرة عن الأسلوب (Cormier & Cormier, 1985). في البداية يقدم المرشد / المرشدة فكرة للمسترشدة عن الأسلوب وذلك من خلال إعطائه معلومات عنه، وأيضاً يعمل على أخذ موافقة المسترشدة على استخدام هذا الأسلوب: "أهدافنا مع جميع الأفراد تنطوي على مساعدتهم على زيادة الوعي بالعوامل التي تؤدي إلى سوء التكيف مع مواقف الضغط، نحن لا بد أن نعمل على تحديد الأفكار التي تظهر في ذهنك أثناء المواقف الضاغطة ثم العمل على التحكم بها، ومنعها من الظهور ثم العمل على إحلال أفكار أخرى أكثر منطقية وتكيفية. هل هذا واضح".

وخلال هذه الخطوة لابد من إظهار مقارنة ما بين الأفكار المعززة لذات والأفكار الهدامة مع إبراز الدور الذي تلعبه هذه الأفكار في تقليل أو زيادة انتاجية الفرد، ويمكن للمرشد / المرشدة أن يقدم أمثلة على عدد من هذه الأفكار ويعمل مقارنات بين بعضها البعض مع إيضاح بدء توقيت هذه الأفكار (قبل الموقف، أثناء الموقف، ذروة الموقف، بعد الموقف). وسأعرض الآن موقف ترغب الزوجة بمناقشة زوجها في موضوع يتعلق بدراسة الأبناء، أفكار سلبية قبل الموقف: "أعرف تماماً أنه سيضربني"، "كل نقاش مع زوجي ينتهي بأن يضربني"، "أنا فاشلة سيغضب مني ويضربني".

أفكار سلبية أثناء الموقف: "ها هو قد غضب، لقد بدأ صوته يرتفع، طريقتي في الحيدث لم تعجبه".

أفكار سلبية بعد الموقف: "كما توقعت، لقد صفعني على وجهي"، "هذا هو الحال كل نقاش"، "أنا السبب دائماً ينتهي بي الأمر إلى نفس النهاية".

التعرف على أفكار المسترشدة. ينتقل المرشد / المرشدة الآن للتعرف على أفكار المسترشدة خلال المواقف الضاغطة التي تتعرض لها أثناء التعامل مع زوجها، وقد يستخدم المرشد / المرشدة تطبيق واجب بيتي يتضمن أن تكتب المسترشدة الأفكار السلبية التي تدور بذهنها قبل وأثناء حصول الموقف الذي ينجم عنه حصول الإساءة ، ولتسهيل أداء هذا الواجب يمكن أن يستخدم المر المرشد / المرشدة شد نموذج الأفكار غير الوظيفية **(DTR)** وذلك من أجل إعطاء معلومات حول الأفكار والنتائج الانفعالية المرتبطة بهذه الأفكار خلال المواقف والمشكلات المختلفة.

تزويد المسترشدة بالأفكار التكيفية والتدريب على ممارستها. حينما يزداد وعي المسترشدة بالأفكار غير التكيفية يصبح دور المرشد / المرشدة يكمن في مساعدة المسترشدة على اكتساب أفكار تكيفية، وكذلك العمل على مساعدة المسترشدة على اتباع عدد من هذه الأفكار، ويتم الاستفادة من قائمة الأفكار التي تم وضعها في الخطوة السابقة وذلك من أجل وضع أفكار تكيفية بديلة لتلك الأفكار غير التكيفية، ولزيادة الفعالية العلاجية يطلب المرشد / المرشدة من المسترشدة توليد أفكار تكيفية مع تقديم شرح وتفسير لها، وأيضاً يعمل المرشد / المرشدة على تشجيع المسترشدة على ممارسة هذه الأفكار أثناء الجلسة الإرشادية.

الانتقال من الأفكار الهدامة للذات إلى أفكار مشجعة. بعد أن يتم التعرف علىالأفكار غير التكيفية الهدامة للذات، وبعد أن يتم إجراء ممارسة للأفكار التكيفية والمعززة للذات الممكنة، لابد من إجراء تدريب معرفي خلال الجلسات الإرشادية. فمثلاً قد يطلب المرشد / المرشدة من المسترشدة مشاهدة موقف ما أو تخيل موقف ما، وأثناء ذلك يقوم بمراقبة الأفكار الهدامة (غيرالتكيفية) والعمل على وقف استخدامها واستبدالها بأفكار أخرى إيجابية تكيفية أكثر تشجيعاً للذات.

ويهتم المرشد / المرشدة بالحصول على تغذية راجعة من المسترشدة حول ردود فعلها ومدى ملاءمة هذا الأسلوب لحاجاتها وأهدافها.

ممارسة الأفكار التكيفية الإيجابية خارج جلسات الإرشاد. بعد أن تتدرب المسترشدة على ممارسة الأفكار التكيفية داخل الجلسات الإرشادية لابد من نقل ما تعلمته إلى المواقف الحياتية الواقعية، حيث تطبق ما تعلمته داخل الجلسات الإرشادية إلى المواقف الحياتية التي تواجهها (**Cormier & Cormier, 1985**).

حل المشكلات الذي يتضمن التدريب العقلي حول كيف ستتعامل مع الموقف؟ المسترشدة هنا ربما تقول لنفسها: "سوف أغير من الموقف عن طريق فهم حاجات زوجي، التخطيط بشكل أفضل للتعامل معه في حالة الغضب"، (وسنتعرض له لاحقاً).

التعزيز الذاتي: عن طريق العبارات الإيجابية للذات مثل: "جيد ها أنا استطعت أن أخفف من توتري وألمي، أنا الآن أشعر بالراحة لأنني تصرفت بشكل جيد".

ج- التطبيق: -

بعد تعلم مهارات التكيف والتعامل تصبح المسترشدة جاهزة للتعامل في المواقف الحقيقية، إن هذه الاستراتيجية تعمل على تطوير مشاعر الكفاءة الذاتية كلما كان بمقدور المسترشدة التعامل مع المواقف الضاغطة عند ظهورها.

إرشاد الأزواج **Couples Counseling**

يوفر الزواج علاقة شراكة حميمة ما بين الزوج والزوجة، وينظر لهذه العلاقة على أنها أفضل وسيلة لإشباع حاجات الأفراد للشراكة والمودة الإنفعالية والجنسية، حتى بالنسبة لأولئك الذين اختبروا علاقات زواجية سلبية. ويقر الأزواج بوجود مستوى عال من الرضى عن العلاقة بينهما في الفترة المبكرة من علاقتهما. وبالنسبة للعديد من الأزواج، فإن الرضى عن العلاقة ينخفض عبر الوقت، ويرتبط هذا الانخفاض بالمعاناة الجوهرية في العلاقة، إلا أن الزوجين ولأسباب متنوعة قد يختاران البقاء معاً، وهذا البقاء يسوده المعاناة والشدة والإحساس بعدم السعادة في الحياة الزوجية (**Halford, et al.,1997**)، وقد أكدت دراسات على أثر التفاعل بين الزوجين والإحساس بعدم السعادة في زيادة العنف الموجه من الزوج ضد الزوجة (عزام، 2000). كما يسود العنف بين الأزواج في العلاقات الزواجية المضطربة. وللعنف نتائج خطيرة جسدية ونفسية، خاصة بالنسبة للمرأة (**Halford, et al., 1997**).

لقد درس الباحثون كيف تختلف العلاقة بين الأزواج العينفين مقارنة بالأزواج غير العنيفين. حيث قاموا بدراسة أنماط التواصل الزواجية مقارنين التفاعلات الزواجية للأزواج العنيفين بغير العنيفين، والعلاقة بين العنف الزواجي والمعاناة الزواجية. من خلال مقارنة التفاعلات الزواجية المصورة على الفيديو للأزواج العنيفين وغير العنيفين أثناء مناقشاتهم للمشكلات في العلاقة بينهم. ففي دراسات لمارغولين وآخرون **Margolin, et al.(1988-1993)** واردة في **Holtzworth-Munroe, et al.(1997)** تبين أن الزواج الذين يمارسون العنف الجسدي على زوجاتهم هم أكثر سلبية من الأزواج غير العنيفين. وبشكل محدد، فالأزواج العنيفون جسدياً عبروا بسلوكات سلبية، ونغمة صوت سلبية، وسلوكات عدائية سلبية نحو زوجاتهم، بشكل أكبر من الأزواج الذين يمارسون العنف اللفظي أو الذين ينسحبون من النقاش. كما أن الأزواج العنيفين جسدياً هم أكثر ميلاً للانهماك في أنماط متبادلة من التفاعلات العدائية، فالسلوك الازدرائي والغضب من قبل أحد الزوجين يدفع الآخر للاستجابة بالطريقة نفسها.

كما درس الباحثون التواصل بين الأزواج، من خلال مقارنة التقارير الذاتية حول التفاعلات الزواجية للأزواج العنيفين مقارنة بغير العنيفين. كما وجد جاكبسون وآخرون **Jacobson, et al.(1993-1994)** الوارد في **Holtzworth-Munroe, *et al.*(1997)** أن هناك فروقاً تعود للجنس في العنف الزواجي؛ فبينما قالت الزوجات المعنفات أنهن يستعملن العنف فقط كاستجابة لعنف الزوج أو الإساءة الانفعالية، برر الأزواج عنفهم بأنه ردة فعل لسلوكات الزوجات المستفزة.

وفوق كل ذلك، فإنه في حالة بدء عنف الزوج، فالزوجة لا يمكنها القيام بأي سلوك يمكن أن يوقف الهجمة العدائية للزوج عليها.

ويعتبر الاتصال غير الفعال من سمات المعاناة الزواجية، حيث يكون الزوجان المضطربات غير قادرين على إدارة الصراع والتواصل بشكل فعال، ويفشلان في الاستماع لبعضهما، ولا يميلان لاقتراح حلول ممكنة للمشكلات التي تواجههما، وقد يميل الزوج إلى الانسحاب من المكان، وهنا تبقى المشكلة معلقة، وقد يتعامل الزوج مع المشكلات أو الصراعات الزواجية بعنف، مما يفاقم المشكلة ويبتر التواصل بين الزوجين **(Halford, et .al., 1997)**

ويرى إبشتيم وآخرون **Epsteim, et al. (1997)** أن الصعوبات في الاتصال بين الأزواج تميل لن تكون على شكلين: أحدهما هو وجود مشاكل في التعبير والاستماع الفعال المتعلق بالأفكار والمشاعر بين الزوجين، وثانيهما مشاكل في مهارة اتخاذ القرار. لذلك فإن أحد أشكال تدريب الأزواج على مهارات الاتصال الفعال يشتمل على تعليمهم كيف يشتركون معاً في التعبير عن أفكارهم ومشاعرهم. ويسمى هذا النوع من التدريب بالتدريب التعبيري الانفعالي، والهدف الأساسي له هو أن تفهم الآخرين وأن تكون مفهوماً من قبلهم.

العديد من النظريات ترى أن علاج الأزواج يجب أن يكون بعد أن يتوقف العنف بينهما على الأقل لمدة 6 شهور، وفي تلك الفترة يمكن التعامل مع الزوج من خلال مقابلات فردية ويتم التركيز في المقابلات على أن يدرك مسؤوليته عن الإساءة التي تحصل وأن هناك طريق بديلة عن الضرب يمكن أن تحل الخلافات والنزاعات **(Matlin, 2000)**.

أثناء التعامل مع الأزواج علينا الاهتمام بالنقاط التالية: -

الاهتمام بالمعتقدات الأساسية التي يحملها الأزواج والتي هي بحاجة إلى إعادة بناء في حالة كونها مشوهة وتسبب الخلاف بين الزوجين. مثال على المعتقدات المشوهة التي يحملها الزوج عن زوجته:

"أنت السبب في كل المشاكل".

أو التي تحملها الزوجة عن نفسها:

"أنا التي أدفعه لضربي دائماً".

"أنا أستحق أن أضرب".

"أنا مسؤولة عما تعرضت له".

وجود توقعات غير واقعية: مثلاً: زوج أمه لا تعمل يتوقع من زوجته ألا تعمل وفي حالة ممارسة زوجته للعمل قد يؤدي ذلك لحصول خلافات ومن ثم يؤدي إلى حصول العنف.

كل طرف يلوم الآخر على المشاكل وخاصة الزوج يلوم زوجته على المشاكل ويتهمها أنها هي السبب دائماً في حصول المشاكل.

في حالة وجود علاقة إن المشاكل التي قد تحصل، كلا الطرفين يشتركان فيها وليس واحد فقط، وتعتبر هذه من أهم النقاط التي يجب أن يؤكد عليها المرشد **(Sharff, 1996)**.

يقوم المرشد / المرشدة بتعليم الأزواج مهارات الاتصال فهما بحاجة للتعلم كيف يستمع الواحد للآخر، ينظر إليه، يصغي لما يقول، ويستجيب بشكل مناسب

بعيد عن السخرية والتهكم أو إصدار الأحكام والتسميات، والتركيز على أهمية التوقف عن إطلاق الألقاب على بعضهما كأن ينادي الرجل زوجته "يا مجنونة"، "يا شريرة"، أو العكس فهذه الطريقة من التعامل تستفزه وتؤدي لحصول الخلاف (عبد الرحمن، 1999).

تعليم الزوج/الزوجة ضرورة التعبير عن المشاعر وأثر ذلك في العلاقة نحوها وتطورها فإحساس الطرف الآخر بالحب والود وإيصال ذلك له/لها يقرب المسافة بينهما وكذلك في حالة الإنزعاج يمكن التعبير عن المشاعر ومشاركة الزوج لزوجته مثلاً مشاعر الضيق أو مشاركة الزوج لزوجته لمشاعر الضيق الناجمة عن الضغط في العمل يهون عليه بدلاً من استقبالها له بالشكاوي واللامبالاة به.

اتفاق الأزواج على حل مشاكلهما باستخدام النقاش والحوار بدلاً من اللجوء للنزاع والصراخ ومن ثم حصول الإساءة (عبد الرحمن، 1999)، والتأكيد على ضرورة تقبل المسؤولية الكاملة عما يمارسه/تمارسه ويؤدي لحصول الإعتداء البدني أو الضرب، بدلاً من قيام كل واحد بلوم الآخر على ما يحصل (عبد الرحمن، 1999).

الأرشاد الجمعي **Group Counseling**

1- **للنساء:** -

مجموعة من النساء لديهن نفس الخبرة يحضرن جلسات إرشادية متعددة يتم اللقاء في وقت ومكان محددين. يعبرن عن مشاعرهن وخبراتهن ويقدمن التغذية الراجعة لبعضهن وكذلك يحصلن عليها من المرشدة ويقدمن معلومات أيضاً عن خططهن لمواجهة العنف وتشتمل الجلسات على عمل تمارين داخل الجلسة، لعب

أدوار كأن تقوم إحدى المشاركات بدور الزوجة أو الضحية وأخرى بدور الزوج العنيف، وبعد ذلك تتم مناقشة ما تم في لعب الدور من قبل المشاركات الأخريات.

وتعتبر جلسات الإرشاد الجمعي فرصة للزوجات المعنفات للحصول على الدعم الاجتماعي من قبل قائدة المجموعة، كذلك من قبل المشاركات لبعضهن بعضاً. وقد اكتشف إيجلاند وآخرون **Igland, *et al.*** المشار إليه في **Browne & Herbert (1997)** أن الزوجات اللواتي استطعن أن يحطمن حلقة العنف، هن أولئك الواتي حصلن على مساعدة ما من احد الأقارب، أو من معالجن أو من أخصائي اجتماعي؛ حيث وجد في حياتهن شخص ما قد استمع لهن وصدقهن وعبر عن تعاطفه وفهمه لخبرتهن.

إن وجود الفرد في مكان واحد مع أناس يعيشون خبرة تشبه خبرته يجعل الفرد يشعر بالراحة وأنه ليس الوحيد الذي لديه مثل هذه المشكلة، ويرى روجرز أن الأفراد يميلون لتقبل ذواتهم أكثر إذا شعروا أن الجماعة تتقبلهم بدون شروط ويعتبر الفهم والتعاطف هو مفتاح العمل عند الجماعة **(Sharff,1996)**.

كما أن تبادل الخبرات خاصة فيما يتعلق باساليب التكيف التي تستعملها النساء المشاركات في مواجهة العنف يعتبر مصدراً مفيداً للمشاركات في المجموعة، كما أن المرأة تستطيع أن تعبر عن مشاعر القهر والضيق والألم التي تمر بها باي شكل تريد وتجد من يسمعها ويهتم بها من المشاركات والمرشدة في جو آمن وبعيد عن الانتقاد والتهديد. وتقوم المرشدة بعمل برنامج إرشاد جمعي حول مهارات الاتصال ما بين الأزواج وتوضح أثر الاستماع الفعال من الطرفين على تحسن العلاقة بينهما وتشير إلى دور فهم وعكس المشاعر أيضاً وتقوم المرشدة بعمل نمذجة لبعض المهارات

وتستطيع أن تستعمل بعض أساليب القياس مثل: قائمة بيك للاكتئاب لمتابعة مدى التغير في مشاعر الحزن والاكتئاب لدى النساء ومن المهارات التي يمكن تدريب النساء المعنفات عليها:

أ- **مهارات الاتصال Communication Skills** وتشتمل: -

الإصغاء الفعال Active Listening:

وهو الانتباه الكامل للمتحدث، مع متابعة ما يحدث من تواصل بنوعية اللفظي وغير اللفظي والتقاط ما وراء الكلمات من المتحدث. ولكي توصل للشخص الأخر أنك مصغ له، فإنك تحتاج إلى:-

الاتصال البصري. إذا أردت التحدث إلى الناس عليك النظر إليهم.

لغة الجسم المنتبه. يكون كامل جسمك مواجهاً للشخص الذي تتحدث معه، ومائلاً للأمام قليلاً، ويكون وجهك معبراً مستخدماً إيحاءات مشجعة على الاسترسال في الحديث.

الصفات الصوتية. تشير إلى نبرة صوتك، وسرعة تحدثك، وطبيعة مشاعرك تجاه شخص آخر.

المتابعة اللفظية. اي الالتزام بموضوع الحديث وعدم تغييرالموضوع (**Ivey, 1994**).

وقد أكد الباحثون على أهمية الإصغاء الفعال بين الأزواج، وضرورة تدريبهم على الإصغاء بشكل جيد اثناء المناقشات او حل الصراعات(**Halford, *et al.*,1997**). ويسهم الإصغاء الفعال، في بناء علاقة جيدة مع الآخرين، وبناء إحساس المتحدث بذاته **(Smith, 1991)**.

2. إعادة الصياغة Restructuring: -

تعتبر هذه المهارة مكملة للاستماع الفعال. وتعني إعادة ما يقوله المتحدث بهدف زيادة إيضاح المعنى، وليس الإعادة الحرفية لكلام المتحدث. إن إعادة الصياغة تعني إيجاز جزء من محتوى الرسالة المقدمة من قبل المرسل، بحيث تعمل على وصف فكرة، أو شخص، أو موقف، وتساعد على الاسترسال، وتخبر المتحدث أنه قد تم فهمه (Cormier & Cormier, 1985).

3. التعبير عن المشاعر Expressing Feelings: -

وهو توضيح لمشاعر الآخرين في طرح بدائل ووجهات نظر جديدة. ويتم ذلك في حالات الصمت والانفعال، وظهور حالات من عدم الاتزان الانفعالي والسلوكي، بقصد إعادة حالة الاتزان الانفعالي، وفهم تلك الحالة (ميـاس،2002).

والتعبير عن المشاعر هو إظهار ما يشعر به الانسان بطريقة صادقة ومقبولة اجتماعياً؛ فالإنسان له الحق في أن يعبر عن مشاعره سواء أكانت إيجابية أم سلبية، إذ أن إظهار هذه المشاعر يسهم في تحقيق الانسجام بين ما يقوله الفرد وما يشعر به. كما أن التعبير عن المشاعر الإيجابية (الفرح، السرور، الرضى ..) تجاه ما يقوم به الآخرون نحونا يزيد من قيامهم بهذا السلوك في المرات القادمة. والتعبير عن المشاعر السلبية (الضيق، الغضب ...) من تصرفات الآخرين نحونا يقلل من قيامهم بهذه التصرفات (عبد القادر، 1996). وتمر المرأة المعنفة بمشاعر الحزن والقلق حول ما تعيشه من معاناة في علاقتها الزواجية، كما أنها تعيش مشاعر اليأس، خاصة عندما تفشل في كسر حلقة العنف الذي تتعرض له؛ لذا فإن إتاحة الفرصة للمرأة المعنفة للتعبير عن مشاعر الحزن والألم خلال المجموعة الإرشادية، وحصولها على التعاطف والدعم

من قبل القائدة والمشاركات، يخفف عنها. كما أن تعبيرها عن مشاعر السعادة والراحة عندما يعاملها الزوج بشكل جيد، ينقل للزوج فكرة عن أثر سلوكه معها على مشاعرها (**Browne & Herbert, 1997**).

4. التساؤل والاستفهام **Questioning**: -

ويهدف إلى اكتشاف انفعالات واتجاهات المتحدث الآخر، ولمساعدة طرفي التواصل على التعمق لفهم الشخص والبيئة. وتعمل الأسئلة على فتح آفاق جديدة للنقاش، كما تساعد الفرد على كشف ذاته، والاستيضاح حول أمور معينة، وتسليط الضوء على أمور مهمة. ويقسم التساؤل إلى نوعين:-

أسئلة مفتوحة تسهل الحوار والنقاش، وتساعد في كشف الفرد لذاته. مثل الأسئلة التي تبدأ بماذا وكيف.

الأسئلة المغلقة التي تتطلب إجابة محددة، وتبدأ بكم وهل (**Ivey, 1994**).

5. التعاطف **Empathy**: -

هو القدرة على فهم المتحدث: أفكاره ومشاعره، واكتساب الفهم من خلال الإصغاء، وإظهار هذا الفهم من خلال الاستجابة له بلغة يفهمها المتحدث (**Auther, 1991**). والتعاطف يعني فهم المتحدث من خلال الإطار المرجعي له (**Cormier & Cormier, 1985**). وهو أيضاً الوعي بمشاعر ومعاني الجمل التي يرسلها الفرد (الأسمر، 2000).

6. التغذية الراجعة Feed Back: -

وهي تقديم المعلومات من المتحدث والسامع، حول الأفعال والأقوال التي تتم اثناء عملية تواصلية محدودة. وهي شكل من ردود الأفعال والتقييم الفكري لما يدور من تواصل، وكيف يبدو كل من الأطراف للآخر.

ب- تعليم النساء استراتيجية حل المشكلات: -

إن استراتيجية حل المشكلات يصنفها البعض ضمن أساليب تعديل السلوك المعرفي. ويشمل هذا الأسلوب تنمية مهارات حل المشكلات، من خلال تطوير استراتيجيات عامة مناسبة للتعامل مع المشكلات، وإيجاد الحلول لها في حالة مواجهتها. ومع أن هذا الأسلوب يقترن باسم لوفاس دي زوريلا ومارفن جولدفرايد **(Di Zurilla & Goldfried)** إلا أن ديوي **(1933) Dewey** الوارد في الخطيب (1995) قد أشار منذ زمن بعيد إلى مهارة إيجاد الحلول للمشكلات في كتاب له بعنوان " كيف نفكر". وقد وصف ديوي مهارة حل المشكلات على أنها تشتمل علىالخطوات التالية:-

1- الاعتراف بالمشكلة وإداركها.
2- تعريف المشكلة وتحديدها.
3- اقتراح الحلول الممكنة.
4- اختيار أحد الحلول.
5- التنفيذ.

ويوصف أسلوب حل المشكلات على أنه سلوكي معرفي لأنه يحاول تطوير طرائق عامة في التعامل مع المشكلات، بدلاً من التركيز على السلوكات الظاهرة المحددة (الخطيب، 1995). ويعتقد أتباع هذا النموذج العلاجي أن السلوك غير

التكيفي هو نتاج لعجز الشخص، يحملها الفرد على سلوكه. ويركز بيك **Beck** **(1967-1991)** المذكور في **Sharff (1996)** على التشوهات المعرفية التي يحملها الفرد، وأثرها على أدائه وتكيفه، حيث أنها تعمل على زيادة شعور الفرد بعدم الكفاءة والقيمة، حيث تؤدي إلى حصول الاضطرابات النفسية لديه.

وتلعب الاعتقادات والافتراضات دوراً في دعم وتعزيز العنف ضد النساء. فقد عرف ستراوس **Straus** المذكور في **Hage (2000)** عدداً من الافتراضات للثقافة السائدة في أمريكا، والتي تعزز العنف ضد النساء من قبل الرجال وهي: الاعتقاد حول سلطة الرجل على المرأة، وفكرة أن عدوانية الرجل تؤكد هويته، والدور كزوجة و/أو أم هو الدور المفضل للمرأة. على الزوج **(Hage, 2000)**. ودرس الباحثون المعارف والإدراكات لدى النساء المعنفات، مستندين إلى أن الاعتقاد المتعلق بتفكير المرأة حول العنف وحول العلاقة وحول ذاتها سيؤثر على كيفية تعاملها مع العنف في حياتها. فقد وجد الباحثون أن أغلبية النساء المعنفات يعزين سبب العنف لعلاقة الزوج، وليس للزوج ذاته (مثل نقص الاتفاق بين الزوجين). كذلك فإنهن يحملن قناعات خاطئة حول أن العنف لن يتكرر ثانية **(Holtzworth-Munroe, *et al.*, 1997)**.

ويؤكد الأخصائيون على أهمية إزالة التشويهات المعرفية لدى النساء المعنفات، حيث يتم تعريف التشويهات والاعتقادات واللاتكيفية مثل: "إنها غلطتي أنني تعرضت للعنف"، "شيء عادي أن يستخدم الزوج العنف مع زوجته". ثم تقوم بالعمل على تصحيحها أو إزالتها. كما يؤكد الأخصائيون على ضرورة تعديل السلوك غير التكيفي لدى المرأة المعنفة، مثل الاعتمادية الشديدة على الزوج المعتدي.

وإن من الأهداف العامة للتدخلات العلاجية مع النساء المعنفات تعزيز استراتيجيات التكيف وتعديل التشويهات المعرفية، وتعزيز مهارات اتخاذ القرار وحل المشكلات، وتقليل الانعزال الاجتماعي، وزيادة الدعم الاجتماعي **(Carlson, 1997)**.

وتعتبر استراتيجية حل المشكلات كاستراتيجية إرشادية، أحد أشكال الضبط الذاتي، وبالتالي، فهي تتضمن فوائد بعيدة المدى لضبط الذات كالاستقلالية ومرونة التصرف، والكفاءة والتمكن . فالهدف الأول لمهارة حل المشكلات هو زيادة الوعي بالاستقلالية الفعلية، حتى يتمكن الفرد من التكيف مع مواقف الحياة الجديدة باستقلالية.

تستخدم مهارة حل المشكلات في مجالات الإرشاد المختلفة. فقد أظهرت الدراسات وجود نقص دال في مهارات حل المشكلات لدى العدوانيين. كما استخدمت مهارة حل المشكلات لتدريب الجانحين وتحسين تكيفهم. وقد وجد أن زيادة استهلاك الكحول مرتبطة بالنقص في مهارة حل المشكلات. كما أمكن علاج حالات الخجل، والغضب، والأرق، والسمنة الزائدة، والمخاوف المرضية بأسلوب حل المشكلات (زواوي، 1992). ويمكن استخدام أسلوب حل المشكلات مع الأطفال العاديين والأطفال ذوي الاضطرابات السلوكية. ونتيجة للتدريب على حل المشكلات فقد تحسن السلوك الاجتماعي للأطفال والمراهقين **(Butterfield and Cobb, 1994)**.

ولقد أكد الباحثون على أن النساء المعنفات يفتقرن لمهارة حل المشكلات ومهارات التوافق والتكيف مقارنة بالنساء غير المعنفات. مثل هذه المهارات يمكن النظر لها كوسائط محتملة للعنف **Potential Mediators**، مثلا: المرأة التي تتعرض

للإساءة الجسدية التي لديها مهارات حل المشكلات ومهارات التوافق، يتوقع أن تظهر آثاراً نفسية سلبية أقل مقارنة بالنساء اللواتي لا يمتلكن مثل هذه المهارة.

كذلك يذكر هلفورد وآخرون (**Halford, et al.(1997**، أن الزوجين اللذين تتسم علاقتهما الزواجية بوجود صراعات ومعاناة، بأن كلا الطرفين يفشلان في إدارة الصراع بينهما، ولا يميلان لاقتراح حلول ممكنة للمشكلات التي تواجههما؛ فقد يقوم الزوج بالانسحاب من المكان، وهنا تبقى المشكلة معلقة، أو قد يميل للتعامل مع المشكلات باستخدام الضرب أو العنف، وهنا تزداد الأمور سوءاً والمشكلات تعقيداً.

ويؤكد إبشتيم وآخرون (**Epsteim, et al.(1997**،على أهمية الأزواج على اتخاذ القرار. ويهدف اتخاذ القرار إلى التوصل إلى قرار حول قضية أو أمر ما، كأن يقرر الأزواج كيف سيتعاملون مع بعض المواقف التي تواجههم. لذلك فإن التدريب على اتخاذ القرار يمكن أن يكون مفيداً عندما تكون حياة الأزواج غير منظمة، أو هناك الكثير من المهمات التي لم تنجز بعد. أو عندما يشير الأزواج إلى أن الطريقة التي يناقشون بها القضايا، أو يتخذون بها القرارات تؤدي إلى معاناة أو ضيق.

كيفية التدريب: -

إن تدريب النساء المعنفات على حل مشكلاتهن وفق خطوات حل المشكلات يمكنهن من التكيف بطريقة أفضل ويساعدهن على العيش حياة أسرية أجمل، ويقلل من حصول الصراع خاصة وأن التفكير بهدوء وبطريقة منظمة فيما تواجهه المرأة المعنفة من مواقف ضاغطة ومشاكل عائلية مختلفة. يسهم في إيجاد حلول ملائمة

وإيجابية لهذه المواقف. وعلى النقيض من ذلك فإن تأجيل المرأة للكثير من المواقف الضاغطة والمشاكل حتى يعود الزوج من عمله لكي يقوم هو بحلها وحده بصفته المسؤول عن الأسرة، فإن هذا يمثل عبئاً عليه ويجعله ينظر للبيت على أنه مكان مشحون بالمشاكل والصراعات بعكس ما هو مفترض فيه أن يكون مصدراً للراحة والهدوء والسكينة. وقد يضيق الأمر بالزوج مما يدفعه للدخول في جدال وصراع مع الزوجة ينتهي عادة بحصول العنف. إنني لا أبرر سلوك العنف الذي يقوم به الزوج ولكن أريد أن ألقي الضوء على نقطة مهمة وهي اختيار الوقت المناسب من أجل مناقشة المشكلات الأسرية سوياً، وليس إزاحة هذه المشكلات الأسرية على كاهل أي من الزوجين سواء الزوج أو الزوجة وكذلك أهمية استخدام خطوات حل المشكلات أثناء التعامل مع ما يواجهه الزوجان من صعوبات ومشاكل.

ويمكن أن يتم تدريب النساء المعنفات على أسلوب حل المشكلات من خلال جلسات الإرشاد الجمعي، حيث يتم تعليم النساء في كل جلسة خطوة من الخطوات وعمل تمارين وتدريبات على كل خطوة. وأيضاً تطبيق هذه الخطوات على المواقف الحياتية. فمثلاً في البداية يمكن تعليمهن كيفية تحديد المشكلة التي تواجههن وبعد ذلك كيفية جمع معلومات عن هذه المشكلة.

ثم يتم تدريب النساء على إيجاد أكبر كم من بدائل الحلول للمشكلة، وذلك من أجل تعليمهن ضرورة التفكير بالمشكلة ومحاولة إيجاد حلول لها. بعد ذلك يتم تدريب النساء على الموازنة بين هذه الحلول واختيار الأفضل، حيث يتم الإيجابيات والسلبيات لكل بديل وبعد الانتهاء من ذلك يتم اختيار البديل الأفضل وفي النهاية يتم تدريبهن على آخر خطوة وهي تنفيذ هذا البديل لإيجاد مدى فعاليته وعمل تقييم

لهذا الحل. ويتم التأكيد على أن البديل قد يكون مؤقتاً أي يمكن اللجوء لبديل آخر في حال التوصل إلى أن هذا البديل لم تثبت فعاليته.

ويمكن عمل برامج إرشاد جمعي تشمل كلا الزوجين من أجل التدريب على أسلوب حل المشكلات وكيفية التعامل مع الصراعات والخلافات الأسرية.

وقد قامت بنات (2004) بدراسة تهدف إلى قياس أثر التدرب على مهارات الاتصال ومهارة حل المشكلات، في تحسين تقدير الذات والتكيف لدى النساء المعنفات، وخفض مستوى العنف الأسري.

تكونت عينة الدراسة من (31) امرأة من أمهات طالبات الصفين التاسع والعاشر، اللواتي وافقن على المشاركة في الدراسة من بين (47) أماً أظهر مقياس العنف الأسري الذي استجابت إليه بناتهن وجود أعلى درجات للعنف الأسري في بيوتهن، من بين (606) طالبة من طالبات الصفين التاسع والعاشر للعام الدراسي 2002/ 2003.

تم تقسيم عينة الدراسة إلى ثلاث مجموعات: مجموعتين تجريبيتين، ومجموعة ضابطة. خضعت المشاركات في المجموعة التجريبية الأولى، وعددهن ثماني مشاركات، لبرنامج إرشاد جمعي حول مهارة حل المشكلات المكون من إحدى عشرة جلسة، ولمدة ستة أسابيع. في الوقت نفسه، خضعت المشاركات في المجموعة التجريبية الثانية، وعددهن عشر مشاركات، لبرنامج إرشاد جمعي حول مهارات الاتصال المكون من اثنتي عشرة جلسة، ولمدة ستة أسابيع. في حين لم تتعرض المشاركات في المجموعة الضابطة، وعددهن ثلاث عشرة مشاركة، لأية معالجة.

وأجابت المشاركات في المجموعات الثلاث على مقياس التكيف، ومقياس تقدير الذات قبل وبعد تطبيق البرنامجين.

أشارت نتائج الدراسة إلى فعالية التدرب على برنامجي مهارات الاتصال وحل المشكلات، حيث ظهرت فروق دالة إحصائياً لصالح المجموعتين التجريبيتين بالمقارنة مع المجموعة الضابطة في تقدير الذات، وفي مستوى التكيف، وفي مستوى العنف الأسري. هذا ولم تظهر فروق ذات دلالة بين المجموعتين التجريبيتين.

ج- تدريب النساء المعنفات على تأكيد الذات: -

يمكن تدريب المرأة المعنفة على الاستجابة بطريقة مؤكدة لذاتها في المواقف التي تتعرض لها في حياتها اليومية وأثناء تعاملها مع زوجها خاصة، مما قد يقلل من تعرضها للعنف إثر تصرفها بطريقة مناسبة وفي الوقت المناسب، فالمرأة التي تحسن اختيار الوقت المناسب في الحديث مع زوجها حول أمور العائلة وتستخدم كلمات مناسبة وبنبرة صوت مناسبة، قد تحصل على استجابة مناسبة من زوجها ويؤدي ذلك إلى تعامل الزوج معها بشكل أفضل مما قد يحصل في حالة حديثها عن نفس الموضوع ولكن بطريقة مستفزة وباستخدام كلمات جارحة واتهامات للزوج بالتقصير بحق العائلة، مما يؤدي لتفاقم الأمور أو ربما يؤدي صمتها وعدم تعبيرها عما تريد إلى تعرضها للمزيد من العنف.

ويمكن تعليم النساء المعنفات من خلال جلسات الإرشاد الجمعي الفرق بين الاستجابة المؤكدة، الاستجابة غير المؤكدة، والاستجابة العدوانية، كذلك تدريب النساء على كيفية بدء المحادثة والتعبير عن رأيها وكيفية تقبل النقد... بطريقة مؤكدة لذاتها. ومساعدتها على التخلص من المعتقدات والأفكار التي تجعلها ضحية

باستمرار للعنف. مثل "أنا أستحق ما يحصل لي"، "أنا أقل من أن يحترمني الآخرين"، وغيرها .

ويؤكد كارلسون **Carlson (1997)** على حاجة المرأة المعنفة إلى تعلم التصرف بشكل مؤكد لذاتها، وأثر ذلك على تكيفها في حياتها الزوجية، خاصة وأن المرأة المعنفة تتصرف بطريقة غير مؤكدة، ويظهر ذلك من خلال لومها الزائد لنفسها على حصول العنف، وقناعتها أنها هي التي تسببت فيه، وإصرارها على أن الغلطة غلطتها، وهي لن تستثير غضب زوجها ثانية. كما أن بعض الزوجات يعتقدن أن ضرب الأزواج لهن شيء عادي، مع أن من حقوقها كإنسانة وكزوجة أن يعاملها الزوج معاملة حسنة.

وسننتقل الآن إلى الحديث عن تأكيد الذات والأمور التي يمكن تدريب النساء المعنفات عليها.

تأكيد الذات **ASSERTIVENESS**: -

يعرف تأ كيد الذات على أنه القدرة على التعبير الصادق عن جميع أشكال الأفكار والمشاعر لدى الشخص السارة والمزعجة وكذلك القدرة علىالمطالبة بالحقوق الشخصية دون الاعتداء على حقوق الاخرين والشخص المؤكد لذاته استجاباته مناسة، وتحصل في الوقت المناسب ويشعر بالرضى والارتياح والسيطرة على نفسه. ويمتلك الحرية باتخاذ قراراته (الخطيب، 1989، **Shelton, 1976**).

إن سلوك الفرد بشكل مؤكد يتسم بالخصائص التالية: -

السلوك التوكيدي سلوك يتصل بالعلاقات الشخصية ويتضمن التعبير الصادق والمباشر عن الأفكار والمشاعر الشخصية.

السلوك التوكيدي سلوك ملائم من الناحية الاجتماعية.

عندما يسلك الفرد بطريقة توكيدية، فإنه يأخذ في اعتباره مشاعر وحقوق الآخرين (الشناوي وعبد الرحمن، 1998).

أما عدم تأكيد الذات فيظهر على شكل عدم قدرة الفرد على التعبير عن رأيه ومشاعره والمطالبة بحقوقه. وتكون الاستجابات قليلة ومتأخرة عن وقتها المناسب، ويشعر الفرد بالعجز وإيذاء النفس وأيضاً التوتر. ويستطيع الآخرين التعدي على حقوقه الخاصة.

ومن المهم أن نشير هنا لوجود نمط ثالث من الاستجابات وهو الاستجابة العدوانية، حيث يقوم الفرد بالهجوم على حقوق الآخرين. وقد تكون الاستجابات كبيرة وسريعة جداً أو متأخرة ومن آثارها إلحاق الضرر والأذى بالآخرين والشعور بالذنب. وقد يشعر الفرد بعدم القدرة على ضبط ذاته.

ما سنركز عليه هنا هو السلوك غير الموكد للذات.

السلوك غير المؤكد للذات: -

يلجأ الشخص غير المؤكد للذات إلى إخفاء مشاعره واضطرابه، ويحاول أن يبقيها داخله، ولا يعبر عن مشاعره بشكل لفظي، وغالباً ما يكون حساساً خجولاً، ويشعر بقلق وتوتر شديد في المواقف التي تحتاج لتفاعل مع الآخرين.

أما فيما يتعلق بالسلوك غير اللفظي فالاستجابة غير المؤكدة هي استجابة موجهة نحو الذات. تنسحب من الموقف، يرافقها عيون مسدلة وتجنب الاتصال البصري المباشر مع الآخرين، قلة الحديث، جسد يكاد يتداعى للسقوط، فرك الأيدى، حشرجة في الصوت.

أما اللغة التي يستعملها الشخص غير المؤكد لذاته فتكون على شكل كلمات مثل يمكن، لا أعرف، ليس مهما، لا تقلق، آه حسناً هل تمانع، فقط. وفيما يلي سنوضح بعض النواحي التي يكون لدى غير المؤكد ضعف فيها.

إن الشخص غير المؤكد لذاته يواجه صعوبات في:

التواصل البصري مع من يتحدث معه.

طلب معروف من الآخرين أو المساعدة.

تقديم خدمات للآخرين على حساب وقته وجهده.

عدم المقدرة على قول لا.

لا يستطيع التعبير عن مشاعره مما يجعله في حالة ضيق.

البدء بمحادثة مع الاخرين.

التردد في اتخاذ قراراته.

تقبل النقد والتعامل معه. (الخطيب، 1989)

وسنعرض لاحقاً بعض هذه المجالات وكيفية التعامل معها.

النقـــد **Criticism:** -

إذا كنت مؤكداً فإنك ستتقبل النقد وتتعلم منه، إن النقد قد يكون في بعض الأوقات مؤلماً، ولكنه ضروري لتحين الذات **Self Improvement** إن أحد مساوىء أن يكون الفرد غير مؤكداً هو أن الفرد لا يستفيد أو لا يتعلم من النقد، وردة الفعل تكون الموافقة على النقد "نعم، أنت محق، أنا يائس".

قضية مهمة في تعليم الفرد تقبل النقد، وهي التمييز ما بين نقد سلوك الفرد ونقد شخصية الفرد، مثلاً عندما يقول الزوج لزوجته: "أنت غبية لماذا فعلت ذلك؟" إن هذا تسمية سلبية لها وهذا يشعرها أنها مرفوضة. بينما إذا قال لها: "أنه شيء غبي أن تفعلي ذلك". هذا تعليق على السلوك الذي قامت به الزوجة، وأن لديها القوة على تغيير السلوك.

أساليب لتقديم واستقبال النقد: -

كيف تقدم النقد البناء **How to Give Constructive Criticism:**

1- تحدث بهدوء ودفء وبطء.

2- ركز على السلوك وليس على التقليل من الشخصية.

3- ضع التعليقات السلبية بين جملتين إيجابيتين.

4- لاتستعمل تسميات. **(Powell, 1997)**

كيف تستقبل النقد **How to Receive Criticism:** -

قبول النقد، قبول أننا لدينا أخطاء ونرتكب أخطاء، نتجنب التعبير عن الشعور بالذنب أو أي انفعالات سلبية.

كيف تستقبل النقد غير البناء: -

لا توافق على النقد، إذا كان النقد فقط لمجرد النقد، استعمل عدم الموافقة بشكل مؤكد وهادىء. مثلاً، إذا قال الزوج لزوجته: "أنت دائماًَ تتأخرين في إعداد الطعام"، تجيب الزوجة: "لا، أنا لا أتأخر دائماً في إعداد الطعام".

أسأل عن معلومات، أطلب توضيح للانتقادات المعبر عنها بشكل سيء. لماذا تعتقد أنني غبي. وافق فقط على المجالات الصادقة أو الحقيقية من النقد. مثلاً، إذا قال الزوج لزوجته: "أنت كسولة، قذرة، غير مرتبة"، تقول هي: "نعم، أنا أحياناً غير مرتبة".

التعبير عن المشاعر **Expressing feelings**: -

بعض الناس يولدون ولديهم قدرة طبيعية ليوصلوا أفكارهم ومشاعرهم للآخرين بشكل مريح. إذا وجدت أنه من الصعب عليك التعبير عن نفسك، التوتر والقلق أن من فوائد أن تبقى على اتصال مع مشاعرك وتعبر عنها هو أن الانفعالات تعطي الدافعية، الخطوط العريضة، الهدف، والتوجه لحياتك، وإذا كت قادراً على أن توصل مشاعرك للآخرين سوف تشعر أكثر بالحياة. وستجد أن مستويات التوتر ستقل، ويساعدك ذلك على الشعور بالاسترخاء وبصحة أفضل. إن تعبيرك عن انفعالاتك مع شريك أو صديق حميم سوف يقوي العلاقة. إخبار الآخرين كيف تشعر أيضاً يجعل من السهل عليهم أن يوصلوا مشاعرهم لك.

راقب كيف تشعر: -

توقف واستمع لجسمك، ماذا يجري؟ ألديك صداع؟ ربما هو ناجم عن الشعور بالخوف، حركات في معدتك ربما تعود لشعورك بالقلق أو عدم الأمان. حاول أن تختار صفة مناسبة لتصف المشاعر.

أنا أشعر بالغضب.

تحدث عن مشاعرك.

عندما تصبح أفضل في التعرف على مشاعرك صفها لأحد المقربين إليك، حاول عمل ذلك على الأقل مرة في اليوم. سيكون من الأسهل أن تبدأ بكشف ذاتي قليل مثل: أن تقول الزوجة لزوجها: "أنا أفضل حضور الفيل معك، أنا أشعر أني قريبة منك وأخيراً أشعر أني أحبك" (**Powell, 1997**).

إن التعبير عن المشاعر بصدق يقوي العلاقة بين الزوجين، ويسهم في تعريف كل طرف بمشاعر الآخر نحوه، ويزيد من حميمية العلاقة وسعادة الزوجين.

أن تقول لا **Saying No:** -

إذا وجدت أنه من الصعب أن تقول لا، فإنك سوف تقضي وقتاً طويلاً تقوم بأعمال لأناس آخرين مع أنك تفضل أن لا تقوم بها، مما يؤدي إلى الشعور بالإحباط. مما يؤدي لهدم علاقة الصداقة أو العلاقات الاجتماعية، وأنت ربما تشعر أن لديك ضبطاً قليلاً على وقتك وحياتك. قولك نعم لمطالب الآخرين عندما تفضل أن تقول لا يمكن أن يوجد التوتر والقلق في جسمك مما يؤدي عادة لأعراض جسدية مثل الصداع.

قول لا يجعلك في كرسي القيادة، وتمكنك من التحكم بوقتك وحياتك. قول لا بشكل مباشر وبانفتاح يساعد في تقوية احترام الذات، ولكن عندما تريد أن تقول لا، وليس قول لا لمجرد مناقضة الآخرين وجدالهم.

إن الأفراد الذين يجدون صعوبة في قول لا عادة يشتركون بعدد من المعتقدات الأساسية ربما تشمل "الناس اللطيفون يعملون أشياء للآخرين"، "أن تقول لا سيكون وقاحة وأنانية"، "إنهم أهم مني ولا أستطيع أن أرفض"، "إذا قلت لا سوف يتألمون، يغضبون وسوف لن يحبونني"، "أنا أحتاج لأن أشعر أن الناس يحتاجونني، لأن أكون مشغولاً منهمكاً وأن أكون مهماً".

إذا كنت تحمل هذه الاعتقادات أنت تحتاج لأن تحدد وتتحدى هذه المعتقدات أو أنك ستحمل نفسك فوق طاقتها.

كما أن عدم المقدرة على قول لا عادة تنتج عن خطأين في التفكير:-

الخلط ما بين رفض الطلب برفض الشخص نفسه. مع أن هناك فرق كبير، فرفض الطلب لا يعني رفض الإنسان الذي يحتاج لتلبية الطلب.

الميل للمغالاة في تقدير الصعوبة التي سيعاني منها الفرد في قبوله للرفض.

إن معظم الناس سعداء لقبول اللا الصادقة إذا تم تقديمها بشكل ملائم. عادة أنها تعمق العلاقات.

كيف تقول لا وتقصدها **How to Say No and Mean It:** -

1- كن مختصراً، اجعل إجابتك قصيرة، وحول موضوع الحديث، وتجنب الاعتذارات.

2- كن مؤدباً، عرف الشخص الذي يريد الطلب في استجابتك، قل شيئاً يشبهه، لا أنا آسف، لا أستطيع عمل غداء في يوم الثلاثاء، يمكن عمله يوم الجمعة فهو إجازة.

3- حافظ على الضبط، اجعل قول لا مباشرة بشكل لطيف بالمحافظة على الهدوء، واستجيب للطلب بهدوء وبطء.

4- كن صادقاً لعمل عبارات بسيطة مثل أنا أجد هذا صعباً، ربما يساعدك أن تعبر عن مشاعر الصعوبة بصدق وانفتاح.

5- قل "لا" والناس المستعجلون ربما يفسرون التريث على أنه غير حقيقي أو أكيد والذي ربما يسبب الانزعاج.

6- ممارسة تصرف أمام المرآة، ماذا ربما ستقول أو تفعل في موقف تحب أن تقول فيه لا، أمام اثنين أو فردين من العائلة، ثم قم بذلك لتدريب نفسك على قول لا حتى تتمكن من فعل ذلك في المواقف الحقيقية (Powell, 1997).

أسباب السلوك غير المؤكد: -

من أسباب السلوك غير المؤكد:-

أ. أساليب التنشئة الأسرية للأبناء ومنها:

الحماية الزائدة: فلا يتعلم الأبناء كيف يتعاملون مع ما يواجههم ولا يشعرون بتحمل المسؤولية.

الكمال الزائد: وضع الأهل توقعات عالية من أبنائهم مما يؤدي لعدم وصولهم لها ويسبب لهم الشعور بعدم القدرة والكفاءة.

التسلط: حيث يستعمل الآباء التسلط والعقاب مع الأبناء، مما يؤدي لعدم التواصل معهم، وبالتالي لا يتعلم الأبناء أساليب التعامل الفعالة والموكدة مع الآخرين.

النقد: استعمال الآباء للنقد لتصرفات الأبناء واستخدام صفات معينة لهم مثل شقي ... سيء ... وتتم الإشارة لما هو سيء وإعطاء تغذية راجعة سلبية تؤدي بالفرد لأن يكوِّن فكرة سلبية عن نفسه.

ب. التقليد: -

بتصرف الفرد بشكل غير مؤكد نتيجة لتقليده من حوله مثل تقليد الأب أو الأم ... فعندما يكون النموذج الموجود في المنزل ... غير المؤكد لذاته فإن الفرد يتعلم السلوك بشكل غير مؤكد.

ج. المعتقدات: -

المعتقدات التي يحملها الفرد عن نفسه وعن الآخرين قد تكون غير منطقية وخاطئة، كأن ينظر الفرد لنفسه على أنه غير قادر على التعبير عن رأيه. "على أن ألبي حاجات الآخرين". هذا وسنوضح هذه النقطة لاحقاً.

إن عدم تصرف الفرد يشكل مؤكد ربما يعود لاعتقادات موجودة عند الفرد منذ الطفولة، أو تعلمها منذ الطفولة. ومن هذه الاعتقادات التي تعمل على جعل الفرد يتصرف بشكل غير مؤكد: -

من الأنانية أن أقول ما أريد.

على الآخرين أن يعرفوا ما أريد.

على الأفراد أن لا يناقشوا مشاعرهم.

من الخطأ تغيير وجهة نظرك.

إذا قلت لا فإن الآخرين لن يحبونني.

يجب أن لا أزعج الآخرين بالحديث عن قلقي.

إذا قلت ما أفكر به سأفقد أصدقائي **(Powell, 1997)**.

على المعالج أولاً أن يحدد هذه المعتقدات ويتم توضيحها للمسترشد. وأيضاً أن تتقبل حقوقه، ثم يتم العمل على تحدي هذه المعتقدات الموجودة لديه.

التأكيد على الفلسفة التي يقوم عليها تأكيد الذات هي أن كل الناس متساوون في الحقوق الإنسانية، وأن الفرد مثل أي شخص آخر مؤهل لقول ما يفكر به، يشعر به، أن يغير رأيه. أن يقول لا أو أن يعمل أخطاء، من المفيد في بعض الأحيان أن تذكر نفسك بحقوقك. هذا ويمكن لبعض المعتقدات أن يتم العمل على استبدالها أو تعديلها لتصبح أكثر قبولاً مثال: -

معتقدات سلبية	**معتقدات إيجابية**
1- أنا سوف لن أقوم بعمل جيد كالآخرين. "أنا فاشل".	1- أنا أفعل كما يفعل الآخرين، أنا لست فاشلاً، أنا مجرد إنسان.

2- إذا طلبت المساعدة من أحد هذا إشارة على ضعفي.

2- سأطلب مساعدة إذا احتجت لها، أنا أظهر مهارات حل المشكلة بشكل جيد. (إنها علامة على القوة).

(Beck, 1995; Powell, 1997)

يمكن تدريب النساء المعنفات على كيفية السلوك بشكل مؤكد من خلال جلسات الإرشاد الجمعي. وأعرض تالياً نموذجاً لجلستي إرشاد جمعي حول تأكيد الذات.

تدريب النساء المعنفات على تأكيد الذات

الاستجابة المؤكدة وغير المؤكدة

أهداف الجلسة: -

أن تتعرف المشاركات على المقصود بتوكيد الذات.

أن تميز المشاركات الفرق بين الاستجابة المؤكدة، والاستجابة غير المؤكدة، والاستجابة العدوانية.

الأساليب: -

إعطاء التعليمات.

المناقشة الجماعية.

إعطاء تمرين.

التغذية الراجعة.

التعزيز الاجتماعي.

الواجبات البيتية.

محتوى الجلسة: -

ترحب المرشدة بالمشاركات، وتسألهن عن أحوالهن، وبعد ذلك: -

تقدم المرشدة تعريفاً لتوكيد الذات فتقول: أن تكوني مؤكدة لذاتك يعني أن تعبري عن رأيك ومشاعرك وتطالبي بحقوقك دون إيذاء أو التعدي على حقوق الآخرين. إن الكثير من التفاعلات الاجتماعية بحاجة لاستخدام الاستجابات المؤكدة، فنحن إما أن نترك الموقف يمر دون أن نقول شيئاً (غير مؤكدة)، أو قد نتفاعل بدرجة أكثر فنتهم شخصاً آخر دون الانتباه إلى سلوكنا (عدوانية).

تعرض المرشدة الفرق بين كل من الاستجابات الثلاث كالتالي: -

الاستجابة غير المؤكدة	الاستجابة المؤكدة	الاستجابة العدوانية
الاستجابة غير مناسبة	الاستجابة مناسبة.	الاستجابة غير مناسبة.
يشعر الفرد بالضيق والعجز.	يشعر الفرد بالراحة والرضى.	يشعر الفرد بعدم الراحة.
الاستجابة متأخرة	تكون الاستجابة في وقت مناسب.	تكون الاستجابة أسرع من اللازم.

الفرد فاقد للسيطرة على نفسه.	يسيطر الفرد على نفسه.	لا يستطيع الفرد ضبط نفسه.
علاقته مع الآخرين على حساب مصالحه الخاصة.	علاقته مع الآخرين جيدة.	علاقته مع الآخرين متوترة.
لا يعبر عن مشاعره أو رأيه.	يعبر عن مشاعره ورأيه.	يهدد ويجبر الآخرين عل الأخذ برأيه.

يتم تدريب المشاركات على التمرين التالي: -

تمرين (1): كيفية الاستجابة نحو سلوكات مختلفة

إجراءات التمرين: -

تؤكد المرشدة أن هناك فئات مختلفة من السلوكات والتي تجعل من السهل لبعض الأشخاص بينما من الصعب على أشخاص آخرين الاستجابة بشكل مناسب.

تطلب المرشدة من المشاركات تطبيق الفئات التالية من السلوك عليهن، وتطلب منهن أن يحددن أين يقعن على سلسلة الاستجابة: غير مؤكدة، مؤكدة، أم عدوانية.

توزع المرشدة قائمة بفئات السلوك على كل مشاركة.

فئات السلوك	استجابة غير مؤكدة	استجابة مؤكدة	استجابة عدوانية
تقديم المديح	=	=	=
تلقي المديح	=	=	=
طلب المساعدة	=	=	=
التعبير عن المشاعر/ الحب	=	=	=
بدء المحادثة	=	=	=
المطالبة بحقوقك	=	=	=
قول (لا)	=	=	=
التعبير عن الآراء الشخصية	=	=	=
التعبير عن الانزعاج	=	=	=
التعبير عن الغضب	=	=	=

تطلب المرشدة من المشاركات أن يتوزعن على مجموعات، كل مجموعة مكونة من خمس مشاركات، ويناقشن الفئات التي اخترنها، وتؤكد المرشدة أنه يفضل التحدث حول مواقف حقيقية تتعرض لها المشاركة.

توضح المرشدة أن استجابات بعض الأفراد بشكل مؤكد أو غير مؤكد أو عدواني تختلف حسب الأشخاص الذين يتفاعلون معهم، فمثلا: قد يكون الابن غير مؤكد لذاته مع والده ولكنه يكون مؤكداً لذاته مع أخيه، وقد يكون المرؤوس غير مؤكد لذاته مع رئيسه بينما يكون عدوانياً مع زميله ...

تقوم المرشدة بإنهاء الجلسة، وذلك بتلخيص ما دار فيها، ثم تطلب المرشدة من المشاركات أن يكتبن تقريراً حول موقف معين مع أزواجهن، وتحاول المشاركة أن تصف هذا الموقف هل تم بشكل مؤكد أو غير مؤكد. وكيف كانت ردة فعل الزوج، وكذلك شعورها هي نحو سلوكها هل كانت مرتاحة أم لا، ثم توزع المرشدة على المشاركات جدول رقم (2) حول السلوك بشكل مؤكد.

تشكر المرشدة المشاركات على الحضور وتذكرهن بموعد الجلسة القادمة.

جدول تطبيق مهارة تأكيد الذات

الموقف	سلوك الزوجة	ردة فعل الزوج	شعور الزوجة نحو سلوكها

جدول رقم (2)

التدريب على تأكيد الذات

أهداف الجلسة: -

أن تتدرب المشاركات على التصرف بشكل مؤكد.

أن تمارس المشاركات السلوك المؤكد من خلال لعب الأدوار.

الأساليب: -

إعطاء التعليمات.

المناقشة الجماعية.

لعب الدور.

التغذية الراجعة.

التعزيز الاجتماعي.

إعطاء تمرين.

الواجبات البيتية.

محتوى الجلسة: -

تبدأ المرشدة بالترحيب بالمشاركات، والسؤال عن أحوالهن، ثم تعرض المرشدة تلخيصاً لما دار في الجلسة السابقة، ثم: -

يتم مناقشة الواجب البيتي المعطى في الجلسة السابقة، حيث تعرض وتتحدث المشاركات عما حصل معهن في الفترة فيما بين الجلستين، وتطلب المرشدة من

المشاركات وصف الموقف، والتحدث عن مشاعرهن تجاه طريقتهن بالتصرف، وتقوم المشاركات بتقديم التغذية الراجعة لبعضهن بعضاً.

تقوم المرشدة بعرض المثال التالي على المشاركات، يوضح المثال الفرق بين التصرف بشكل مؤكد، غير مؤكد، وعدواني.

يعود زوجك متأخراً في المساء، ويطلب منك الخروج لزيارة أقاربه فجأة وأنت متعبة من العمل طوال النهار، وترغبين بالجلوس معه في البيت.

- **التصرف بشكل غير مؤكد: -**

تقول المشاركة بصوت منخفض: إيه طيب، وتذهب لارتداء ملابسها وهي تتمتم: ما دامت هذه رغبتك وستكون سعيداً لم لا.

- **التصرف بشكل عدواني: -**

نعم! بدك إياني أزور أهلك، روح عندهم لحالك.

ما شاء الله! راجعلي بعد العشاء وكمان مش عشاني، عشان تطلع تزور أهلك.

- **التصرف بشكل مؤكد: -**

أنا عارفة إنك بتحب تزور أهلك بس أنا هلأ تعبانة، شو رأيك نرتاح الليلة ونروح نزورهم بكرة العصر.

تؤكد المرشدة على أن الزوجة من حقها أن تكون شريكة في القرارات البسيطة والكبيرة، وأيضاً من حق الزوجة أن تعبر عن مشاعر التعب لديها، وأن الوقت

للخروج في زيارة لا يناسبها. كذلك من حق الزوجة أن تمضي وقتاً مع زوجها، ويمكنها التعبير عن ذلك بكل هدوء وإيصال رأيها دون اللجوء للمشاكل.

تدرب المرشدة المشاركات على التمرين التالي: -

تمرين (2): التصرف بشكل مؤكد

هدف التمرين: -

1- أن تمارس المشاركات السلوك بشكل مؤكد.

إجراءات التمرين: -

تطلب المرشدة من المشاركات أن يتوزعن على مجموعات من أربع مشاركات.

كل مجموعة تقوم بتمثيل دور يتعلق بضرورة تصرف المشاركة بشكل مؤكد، وتختار كل مجموعة دوراً من الأدوار التالية: (زوجة تطلب من زوجها الذهاب في رحلة، زوجة تناقش مع زوجها قضية متعلقة بالأولاد، زوجة تطلب من زوجها أن يهتم بها أكثر، زوجة تعارض زوجها في الرأي حول كيفية قضاء وقت العطلة).

بعد أن تختار كل مجموعة دوراً، يتم تمثيل الدور من قبل المشاركات بحيث تقوم إحداهن بدور الزوج، والمشاركات تتصرف إحداهن بشكل مؤكد، والأخرى بشكل غير مؤكد، والأخيرة بشكل عدواني.

تعود المشاركات إلى المجموعة الكاملة بعد انتهاء الدور.

ثم يتم عرض الأدوار في المجموعة، وتناقش المرشدة والمشاركات الأخريات ردة فعل المشاركة التي تلعب دور الزوج تجاه كل استجابة قامت بها المشاركات. ويتم طرح الأسئلة التالية: -

كيف شعرت أثناء استماعك للاستجابة المؤكدة؟

كيف شعرت أثناء استماعك للاستجابة العدوانية؟

كيف شعرت أثناء استماعك للاستجابة غير المؤكدة؟

لو كنت مكان الزوج فعلاً فكيف ستكون ردة فعلك على استجابة المشاركة العدوانية، المؤكدة، غير المؤكدة؟

تناقش المرشدة مع المشاركات أية أفكار لديهن أو خبرات يرغبن بها في الجلسة، وبعد ذلك تتيح للمشاركات الفرصة للتعبير عن مشاعرن في هذه الجلسة.

ثم تطلب المرشدة من المشاركات أداء واجب بيتي، يتعلق بتصرف المشاركات بشكل مؤكد في ثلاثة مواقف تمر بها المشاركة أثناء التعامل مع زوجها في حياتها اليومية، وتكتب تقريراً عن هذه المواقف، وتبين الصعوبات التي واجهتها أثناء التطبيق، وتبين نتائج تصرفها بشكل مؤكد، كيف شعرت، وما هي ردة فعل زوجها. وتقوم المرشدة بتدريب المشاركات على أداء الواجب البيتي أثناء الجلسة من خلال لعب الدور، حيث تقوم المرشدة بدور الزوج وإحدى المشاركات بدور الزوجة، وبعد ذلك تطلب المرشدة من المشاركات جميعهن إعطاء معلومات عن الأداء، وتصحيح الأخطاء إن وجدت. وتوزع عليهن جدول رقم (3) حول السلوك بشكل مؤكد.

تشكر المرشدة المشاركات على الحضور.

جدول السلوك بشكل مؤكد

الموقف	التصرف بشكل مؤكد		
	سلوك الزوجة بشكل مؤكد	ردة فعل الزوج	شعور الزوجة تجاه سلوكها بشكل مؤكد

جدول رقم (3)

الإرشاد الجمعي للرجال: -

يمكن عمل إرشاد جمعي للرجال اللذين يسيئون معاملة الزوجة من خلال مجموعة من الرجال اللذين لديهم نفس المشكلة أو يمارسون نفس السلوك وتهدف هذه البرامج إلى الحد من العدوان الجسدي والنفسي على المرأة، فعلى الرجل أن يتحمل مسؤولية العدوان الجسدي على زوجته. وهذا الهدف يوضع في بداية البرنامج وليس من السهل على الرجال تحمل هذه المسؤولية لذلك تتم مناقشتها بالتدريج، كذلك يتم التعرف على المثيرات التي تحصل قبل حدوث الغضب وتولد هذا الغضب كأن يرى زوجته تتحدث على الهاتف لفترات طويلة. كما يتم الحديث عن الأحاسيس والمشاعر التي يمر بها الرجال أثناء فترة الإعتداء بالضرب وبعده وهدفنا من ذلك هو مساعدة الرجال للتعرف على كيف يتغلبون علىالغضب وجعلهم أكثر وعياً لما يحصل لديهم وتلعب الأفكار التي يحملها الرجل عن زوجته والتي تجعله في حالة من الغضب مثل: "إنها تكرهني وتتعمد إزعاجي، إنها تعاملني بجفاء" (عبد الرحمن، 1999). ويتم العمل على مناقشة هذه الأفكار ومدى منطقيتها والعمل على إعادة البناء المعرفي لهؤلاء الرجال ولتوضيح أثر مثل هذه الأفكار على علاقتهم بزوجاتهم وكما يرى أليس فإن الأفكار التي نحملها تسهم في توليد المشاعر لدينا فإن كنا نحمل أفكاراً إيجابية عن أنفسنا أو من حولنا فإننا نشعر بالراحة والسعادة وإن كنا نحمل أفكاراً سلبية فإننا نشعر بالضيق والغضب فمثلاً عندما يحمل الرجل أفكاراً عن زوجته أنها تكرهه فإن هذا سيولد الشعور بالغضب والكره لها مما يدفعه لأن يعاملها بطريقة تتلائم مع ما يحس به نحوها. فعندما يفهم الرجال هذه العلاقة ما بين الأفكار التي يحملونها، المشاعر الناجمة عنها، والسلوك الذي يحصل بالنتيجة فإنهم يصبحون أكثر وعياً لما يحصل معهم، وهنا يعمل المرشد على مساعدة الرجال على

تكوين أفكار إيجابية أكثر منطقية حول زوجاتهم مما يولد مشاعر إيجابية نحوهن وبالتالي سلوكاً إيجابياً وعلاقة افضل.

وتمثل تعاليم الدين الإسلامي في هذا السياق وقاية وعلاج معاً حيث حدد الحقوق الشرعية لكليهما معاً، ومن الحقوق الواجبة للزوجة على زوجها حقوق مادية كالمهر والنفقة والمتعة، وحقوق غير مادية كحسن المعاشرة، فأول ما يجب على الزوج لزوجته إكرامها وحسن معاشرتها ومعاملتها بالمعروف، يقول تعالى: (وعاشروهن بالمعروف فإن كرهتموهن فعسى أن تكرهوا شيئاً ويجعل الله فيه خيراً كثيراً) (سورة النساء، آية 19).

وعن إياس بن عبد الله بن أبي ذُبابٍ رضي الله عنه قال: قال رسول الله صلى الله عليه وسلم: (لا تضربوا إماء الله) فجاء عمر رضي الله عنه إلى رسول الله صلى الله عليه وسلم، فقال: ذَئِرنَ النساءُ على أزواجهن، فرَخَّص في ضَرْبِهِنَّ، فأطافَ بآلِ رسول الله صلى الله عليه وسلم نساءٌ كثيرٌ يشكونَ أزواجَهُنَّ، فقال رسول الله صلى الله عليه وسلم: (لقد أطاف بآلِ بيتِ محمدٍ نساءٌ كثير يشكونَ أزواجهنَّ ليس أولئكَ بخيارِكُمْ) رواه أو داود بإسناد صحيح.

قوله: (ذَئِرْنَ) هو بذال معجمة مفتوحة ثم همزة مكسورة ثم راء ساكنة ثم نون، أي: (اجترأْنَ) ، قوله: (أطافَ) أي: أحاط.

وقد حث الدين الحنيف على التعامل مع المرأة برفق والابتعاد عن إيذائها بالضرب أو حتى باستخدام كلمات جارحة وهذه الأحاديث تؤكد ذلك.

وعن معاوية بن حيدة رضي الله عنه قال: قلت يا رسول الله ما حق زوجةِ أحدنا عليه؟ قال: (أن تطعمها إذا طَعِمْتَ، وتكسُوَهَا إذا اكتسيْتَ ولا تضْرِبِ

الوجهَ، ولا تُقَبِّحْ، ولا تَهْجُرْ إلا في البيتِ) حديث حسن رواه أو داود وقال: معنى (لاتقبح) أي: لا تَقُلْ قَبَّحَكِ اللـه).

وعن أبي هريرة رضي اللـه عنه قال: قال رسول اللـه صلى اللـه عليه وسلم: (أكمَلُ المؤمِنِينَ إيماناً أحسنُهُمْ خُلُقاً، وخيارُكُمْ خيارُكُمْ لنسائِهِمْ) رواه الترمذي.

(النووي الدمشقي، 1985)

إرشاد جمعي للأزواج معاً: -

هنالك برامج إرشاد جمعي يشترك فيها كلا الزوجين معاً ومن هذه البرامج برنامج معالجة عدوان الأزواج الجسدي **Physical Aggression Couples Treatment (PACT)** . إن هذا البرنامج يهدف إلى تقييم العنف في المنزل، مدته. إن مبادىء **(PACT)** تؤكد أن العنف هو محاولة هازمة للذات تؤثر في تغيير العلاقة. نحن نعتقد أن الجهود العلاجية لتقليل الغضب وزيادة الكفاءة في مهارات العلاقة يقلل من خطورة العنف الجسدي. الجزء الأول من برنامج **(PACT)** هو أن يتحمل الفرد مسؤولية عنفه ومهارات ضبط الغضب، كما أن يحتوي على نموذج الغضب المعرفي السلوكي حيث أن الأحداث تسبب الأفكار التي تسبب الغضب وهنا يتم التأكيد على أن "من يجعلك غضبان هو أنت"، "فالآخرين يمكن أن يتصرفوا بطريقة غير سارة وربما يحاولون جعلك غضباناً ولكنك تضبط تفكيرك وبالتالي ضبط غضبك".

الجزء الثاني من البرنامج يركز على قضايا الزواج مثل: تحسين التواصل، إعادة التفاوض حول تعاقدات زواجية أكثر عدلاً، الغيرة. إن هدف الجزء الثاني هو زيادة بدائل العنف وتقليل الصراعات التي قد تقود للعنف.

جدول رقم (4)

ملخص جلسات برنامج PACT

الجلسة	محتـوى الجلسـة
1	عد حوادث العنف، تعريف البرنامج.
2	حلقة العنف، تمييز مستويات مختلفة من الغضب.
3	تمييز مستويات مختلفة من الغضب.
4	نموذج الغضب السلوكي المعرفي **ABC**.
5	أساليب ضبط الغضب، تحدي الأفكار الساخنة **Hot Thoughts**.
6	الروابط أو علاقات الإساءة-التوتر، المعتقدات اللاعقلانية.
7	تقييم التقدم المتوسط، مراجعة.
8	مهارات ومباديء التواصل. سلوكات إيجابية.
9	الفروق الجنسية في التواصل، التعبير عن المشاعر، التعاطف.
10	التأكيد مقابل العدوان، التساوي في الحقوق واتخاذ القرار.
11	عملية تصعيد الصراعات، مباىء محتويات الصراعات.
12	أساليب القتال العاصفة **Dirty Fighting**.
13	الجنس، الغيرة، توسيع شبكة الدعم الاجتماعي.
14	المحافظة على المكاسب، العنف الوسيلي مقابل العنف التعبيري.

.(Heyman & Neidig, 1997)

المراجـــع

أولاً: المراجع العربية

1. القرآن الكريم

2. الأمم المتحدة، (1995). العنف ضد المرأة. تقرير المؤتمر العالمي الرابع المعني بالمرأة. بكين.

3. الأسمر، نهلة، (2000). فاعلية برنامج إرشاد جمعي في تحسين مهارة المرشد الزميل في التواصل ومساعدة الطلبة الذين يواجهون مشكلات تكيف مدرسي. رسالة ماجستير غير منشورة، الجامعة الأردنية، عمان، الأردن.

4. بنات، سهيلة، (2004). أثر التدرب على مهارات الاتصال وحل المشكلات في تحسين تقدير الذات والتكيف لدى النساء المعنفات وخفض مستوى العنف الأسري. رسالة دكتوراة غير منشورة، الجامعة الأردنية، عمان، الأردن.

5. التل، سهير وصويص، سليمان والعساف، عبير، (1996). أوضاع المرأة الأردنية. في: المرأة العربية الوضع القانوني والاجتماعي. دراسات ميدانية في ثمانية بلدان عربية. (ط1). (ص: 14 – 73). تونس: المعهد العربي.

6. التير، مصطفى، (1996). الأسرة العربية والعنف. مجلة الفكر العربي، 11، الجمعية الأردنية لتنظيم وحماية الأسرة، الأمومة الآمنة، عمان، الأردن.

7. جبريل، موسى، (1992). محاضرات في علم نفس الشخصية. الجامعة الأردنية، عمان، الأردن.

8. حلمي، ساري، (2000). الآثار النفسية والاجتماعية والاقتصادية للعنف الأسري على المجتمع المحلي. ورقة عمل مقدمة لندوة العنف الأسري وعمالة الأطفال التي ينظمها مركز التوعية والإرشاد الأسري. الزرقاء، الأردن.

9. حمدان، عنان، (1996). إيذاء الإناث في الأسرة الفلسطينية: دراسة اجتماعية ميدانية على عينة من الأسر في لواء طولكرم. رسالة ماجستير غير منشورة، الجامعة الأردنية، عمان، الأردن.

10. الخطيب، جمال، (1989). **السلوك العدائي والتخريبي في: برنامج في تعديل السلوك.** الأردن: قسم الإرشاد التربوي والصحة النفسية، مديرية الصحة المدرسية.

11. الخطيب، جمال، (1995). تعديل السلوك الإنساني. (ط3). الإمارات العربية المتحدة: مكتبة الفلاح للنشر والتوزيع.

12. الخطيب، جهاد، (1988). **الشخصية بين التدعيم وعدمه في:** برنامج في تعديل السلوك. الأردن: قسم الإرشاد التربوي والصحة النفسية، مديرية الصحة المدرسية.

13. رضوان، سامر، (2000). الصحة النفسية. عمان، الأردن: دار المسيرة للنشر والتوزيع والطباعة.

14. الزعبي، أسعد، (1996). محاضرات حول برنامج إرشاد جمعي عن مهارات الاتصال. الجامعة الأردنية، عمان، الأردن.

15. زواوي، رنا أحمد، (1992). **أثر الإرشاد الجمعي للتدريب على حل المشكلات في خفض التوتر**. رسالة ماجستير غير منشورة، الجامعة الأردنية، عمان، الأردن.

16. الشناوي، محمد محروس وعبد الرحمن، محمد السيد، (1998). العلاج السلوكي الحديث أسسه وتطبيقاته. القاهرة: دار قباء للطباعة والنشر والتوزيع.

17. عاشور، أحمد. الفقه الميسر (في المعاملات). دار الفكر للطباعة والنشر والتوزيع، بيروت، لبنان.

18. العامري، أروى، (1988). العنف العائلي في الأردن حجمه ومسبباته. عمان، الأردن: مؤسسة شومان.

19. عبد الرحمن، محمد، (1999). علم الأمراض النفسية والعقلية. القاهرة: دار قباء للطباعة والنشر والتوزيع.

20. عبد القادر، فواز عبد المجيد، (1996). أثر برنامج إرشادي في تعديل السلوك العدواني لدى طلبة مرحلة التعليم الأساسي في الأردن. رسالة دكتوراة غير منشورة، جامعة المستنصرية، بغداد، العراق.

21. عبده، عبير، (1991). فعالية برنامج إرشاد جمعي في تقدير الذات ومصادر الضبط لدى طالبات المراهقة الوسطى. رسالة ماجستير غير منشورة، الجامعة الأردنية، عمان، الأردن.

22. عبد الوهاب، ليلى، (1994). العنف العائلي. بيروت، لبنان: دار المدى للنشر والثقافة.

23. عدس، عبد الرحمن وتوق، محي الدين، (1986). **المدخل إلى علم النفس**. (جـ2). إنجلترا. جون وايلي وأبناؤه.

24. عزام، إدريس، (2000). العنف الأسري وانعكاساته على صحة المرأة في المجتمع العربي، المجلة الثقافية، العدد 29، عمان، الأردن.

25. العسال، ضرار، (2003). العنف ضد المرأة وأثره على الإساءة للطفل. رسالة ماجستير غير منشورة، الجامعة الأردنية، عمان، الأردن.

26. العواودة، أمل، (1998). العنف ضد الزوجة في المجتمع الأردني. رسالة ماجستير غير منشورة، الجامعة الأردنية، عمان، الأردن.

27. الكوت، الصادق، (2000). **تقدير الذات والشعور بالوحدة لدى المراهقين المحرومين وغير المحرومين من أسرهم**. رسالة ماجستير غير منشورة، جامعة اليرموك، إربد، الأردن.

28. محارمة، حمد والزيد، ريم والحياري، رجاء والنحاس، أمل، (2002). **المفاهيم الخاصة بالعنف الأسري والإساءة كما تراها شرائح المجتمع الأردني**. معهد الملكة زين الشرف التنموي، عمان، الأردن.

29. محمود، فهمي مصطفى، (2001). **العنف الأسري في الغرب**. (جـ1). عمان، مؤسسة ابن سينا للبحوث العلمية.

30. مياس، محمود، (2002). فاعلية برنامج إرشادي جمعي في تطوير مهارات الاتصال لدى طلبة التعليم المهني الثانوي ضعيفي الاتصال في لواء الرمثا. رسالة ماجستير غير منشورة، الجامعة الهاشمية، الزرقاء، الأردن.

31. ناصر، لميس، (2000). العنف الأسري وانعكاساته على صحة المرأة في المجتمع العربي، **المجلة الثقافية**، العدد 29، عمان، الأردن.

32. النووي الدمشقي، أبو زكريا يحيى بن شرف، (1985). **رياض الصالحين**. (ط10). بيروت، مؤسسة الرسالة.

ثانياً: المراجع الأجنبية

1. Agras, W. (1972). Behavior modification: Prnciples and Clinical Application. **Little Brown and Company.** (1[st]ed.). Great Britain.

2. Astin, M. C., Lawrence, K. J., and Foy, D. W. (1993). Posttraumatic stress disorder among battered women: Risk and resiliency factors. **Violence and Victims,** 8, 17-27.

3. Authier, J. (1991). Shawing warmth and empathy. In: O. Hargie (editor), **A Hanbook of Communication Skills.** (3[rd]ed.). (Pp.441-465). Great Britain: Billing and Sons Ltd. Worcester.

4. Bardi, M., Silvana, M. and Tarli, B. (2001). A survey on parent-child conflict resolution: Intrafamily violence in Italy. **Child Abuse and Neglect**, 6(2001) 839-853.

5. Beck, J. (1995). Cognitive therapy: Basics and beyond. The Guilford Press N. Y. London.

6. Browne, K. and Herbert, M. (1997). **Preventing family violence.** (1[st]ed.). England: John Wiley and Sons Ltd.

7. Butterfield, W. H. and Cobb, N. H. (1994). Cognitive-behavioral treatment of children and adolescents. In: D. K. Granvold (editor), **Cognitive and Behavioral Treatment, Methods and Applications.** (Pp.65-89). California: Brooks/Cole Publishing Company.

8. Carlson, B. E. (1997). A stress and coping approach to intervention with abused women. **Family Relations,** 46(3), 291-298.

9. Chambliss, C. (1992). Self-esteem and attitudes toward love in abused and non-abused women. Paper Presented at the Annual Delaware Valley Consortium of Colleges and Universities, (5th) Cllegeville, PA, U.S.A. Pennsylvania, 4 April, 1992, 19.

10. Cloutier, S., McMartin, S. L., Moracco, K. E., Garro, J. Clark, K. A. and Brody, S. (2002). Physically abused pregnant women's perceptions about the quality of their relationships with their male partners. **Women and Health**, 35(2/3), 149-163.

11. Colosetti, S. D. and Thyer, B. A. (2000). The relative effectiveness of EMDR versus relaxation training with battered women prisoners. **Behavior Modification**, 24(5), 719-739.

12. Connelly, C. D., Newton, R. R., Landsverk, J. and Aarons, G. A. (2000). Assessment of intimate partner violence among high-risk postpartum mothers: Concordance of Clinical Measures. **Women and Health**, 31(1).

13. Conroy, K. (1994). Children witness to domestic violence. hosting.uaa.Alaska.edu/afrhm1/wacon/CHDWITDV.pdf.

14. Cormier, H. and Cormier, L. (1985). **Interviewing strategies for helpers: Fundamental skills and cognitive behavioral intervention**, (2nd ed.). California: Wads Worth, Inc.

15. **Crossman, L. (1995). Factors which predict hostility toward women: Implicatin for counseling. Paper Presented at the Annual Meeting of the**

American Educational Research Association. San Francisco, Ca, April 18-22.

16. **Davies, J. (1998).** Safety planning of battered women. **Copied by Sage Publications, Inc.**

17. **Diagnostic and statistical manual of mental disorder. DSM. IV. (1994).Washington, DC: American Psychiatric Association.**

18. **Dutton-Douglas, M. A. and Dionne, D. (1991). Counseling and shelter services for battered women. In: M. Steinman (editor),** Woman Battering Policy Responses. **(Pp.113-130). Cicinnati, OH: Anderson.**

19. **Dutton, M. A. (1992).** Empowering and healing the battered woman: A model for assessment and intervention. **New York: Springer.**

20. **Epstien, N. B., Baucom, D. H. and Daiuto, A. (1997). Cognitive behavioral couples therapy. In: W. Halford and H. Markman (eds.),** Clinical Handbook of Marriage and Couples Interventions. **(Pp.416-449). John Wiley and Sons Ltd.**

21. **Fassl, J. and O'Beirne, B. (1995). Communication apprehension intervention: A report of a spring 1995 Pilot Study Program Utilizing Self-Esteem Measures and Cognitive Restructuring as Intervention Strategies for High Ca Students in the Basic Course. Educational Resources Information Center.**

22. Garcia, J. (1997). A study of domestic violence and sexual abuse and a pastoral care response within the Hispanic community.

23. Gelles, R. J. (1985). Family violence: What we know and can do. In: E. H. Newberger and R. Bourne (eds.), **Unhappy Families:Clinical and Research Perspectives on Family Violence**. (Pp.1-8). U.S.A. PSG Publishing Company Inc.

24. Gordis, E. B., Margolin, G. and John, R. S. (2001). Parents' hostility in dyadic marital and triadic family settings and children's behavior problems. **Journal of Consulting and clinical Psychology**. 69(4), 727-734.

25. Hage, S. (2000). The role of counseling psychology in preventing male violence against female intimates. **Journal of Counseling Psychologist**, 28(6), 797-828.

26. Hage, S. and Bushway, D. (2000). Posttraumatic stress disorder in women who are battered: Risk and protective factors. **Manuscript Submitted for Publication.**

27. Halford, W. K., Kelly, A. and Markman, H. J. (1997). The concept of a healthy marriage. In: W. Halford and H. Markman (eds.), Clinical Handbook of Marriage and Couples Interventions. **(Pp.3-41). John Wiley and Sons Ltd.**

28. Hallingshead, A. and Redlich, F. (1976). Social class and psychiatric disorders. In: W. Katkovsky and L. Gorlow (eds.), **The Psychology of Adjustment Current Concepts and Applications**. (3^{rd}ed.). U.S.A.: McGraw Hill-Book Company.

29. Hanson, H. (1992). Paper Presented at the Annual Meeting of the Southwestern Psychological Association, (38th) Austin, TX, U.S.A. Kansas, 16-18 April, 1992, 9.

30. **Harter, S. (1993). Causes and Consequences of low self-esteem in children and adolescence. In: R. F. Baumeister (Editor),** Self-Esteem the Puzzle of Low Self-Regard. **(Pp.87-116). A Division of Plenum Publishing Corporation.**

31. **Heyman, R. E. and Nedig, P. H. (1997). Physical aggression couples treatment. In: W. Halford and H. Markman (eds.),** Clinical Handbook of Marriage and Couples Interventions. **(Pp.589-617). John Wiley and Sons Ltd.**

32. **Holtzworth-Munroe, A., Smutzler, N., Bates, L. and Sandin, E. (1997). Husband violence: Basic facts and clinical implications. In: W. Halford and H. Markman (eds.),** Clinical Handbook of Marriage and Couples Interventions. **(Pp.129-202). John Wiley and Sons Ltd.**

33. Ivey, A. E. (1994). **Intentional interviewing and counseling: Facilitating client development in a multicultural society.** (3rd ed.). California: Brooks/Cole Publishing Company.

34. **Keller, M. M. (2000). A psychological study of abused women's experiences of 'not feeling understood' when seeking help. Dissertation Abstracts DAI-B 61/02, p.1085, Aug.**

35. Kemp, A., Green. B., Hovanitz, C. and Rawlings, E. (1995). Incidence and correlates of posttraumatic stress disorder in battered women: Shelter samples and community samples. **Journal of Interpersonal Violence**, 10, 43-55.

36. Knickrehem, K. and Teske, R. (2000). Attitudes towards domestic violence among Romanian and U. S. University students: A cross-cultural comparison. **Journal of Women and Politics**, 21(3), 27-49.

37. Kurland, M. L. (1986). **Coping with family violence.** (1st ed.). New York: The Rosen Publishing Group, Inc.

38. Matlin, M. (2000). **The psychology of women.** (4th ed.). Harcourt College Publishers V. A. E.

39. Mechristie, P. (2003). Females and abuse: Mental/verbal/emotional. http://www.cyberparent.com/abuse/femalemental.htm.

40. Murphy, Ch. And O'Fsrell, T. J. (1992). Factors associated with marital aggression in male alcoholics. Paper Presented at the Annual Meeting of the Association for Advancement of Behavior Therapy. 26th Boston, Ma, November 19-22.

41. **Ohlsen, M., (1970).** Group Counseling. **Holt Rinehart and Wiston, Inc.**

42. O'Leary, K. D., Vivian, D. and Malone, J. (1992). Assessment of physical aggression in marriage: The need for a multi-modal method. **Behavioral Assessment**, 11, 39-64.

43. Peek-Asa, C., Garcia, L., McArthur, D. and Castro, R. (2002). Severity of intimate partner abuse indicators as perceived by women in Mexico and the United States. **Women and Health**, 35(2/3), 165-180.

44. Powell, T. (1997). Free yourself from harmfully stress. U. K.: Dorling Kindersley.

45. **Rice, F. P. (1992).** Human Development: A life-span approach. **New York: Macmillan publishing Company, Inc.**

46. **Rimm, D. Masters, J. (1979). Bahavior Therapy-Academic Press, Inc.**

47. **Rodriguez, E. (1999). Pregnant and abused: Domestic violence among Latins. Educational Resources Information Center.**

48. **Rosenberg, M. (1978). Wich significant others?** American Behavioral Scientist, **16(4), 829-860.**

49. **Sanders, M. R., Nicholson, J. M. and Floyd, F. J. (1997). Couples' relationships and children. In: W. Halford and H. Markman (eds.),** Clinical Handbook of Marriage and Couples Interventions. **(Pp.226-253). John Wiley and Sons Ltd.**

50. **Sharf, R. S. (1996).** Theories of psychotherapy and counseling: Concepts and cases. **California: Brooks/Cole Publishing Company.**

51. Shelton, J. (1976). Behavior modification for counseling centers.

52. Smith, V. (1991). Listening. In: In: O. Hargie (editor), **A Hanbook of Communication Skills.** (3rd ed.). (Pp.246-267). Great Britain: Billing and Sons Ltd. Worcester.

53. **Smith, P. R. (1997). Effects of emotional and physical abuse on self-esteem, trust, and intimacy (emotional abuse women survivors). DAI. 57107, p. 4727, Jan.**

54. Sorensen, B. W. (1998). Explanations for wife beating in Greenland. In: R. Klein (editor), **Multidisciplinary Percpectives on Family Violence**. (Pp.153-173). Great Britain: MPG Books Ltd., Bodmin.

55. Stith, S. M., Rosen, K. H., Middleton, K. A., Busch, A. L., Lundeberg, K. and Carlton, R. P. (2000). The intergenerational transmission of spouse abuse: A meta-analysis. **Journal of Marriage and the Family**, 62(August), 640-654.

56. **Straus, M. A. (1978). Wife-beating: How common and why. In: J. M. Eekelaar and S. N. Katz (eds.),** Family Violence: An International and Interdisciplinary Study. **(Pp.34-49). Canada: Butterworth and Co. Ltd.**

57. Walker, L. E. A. (2002). **Abused women and survivor therapy: A practical guide for the psychotherapist**. (4th ed.). Washington, DC: American Psychological Association.

58. **Wetzel, L. and Ross, M. A. (1986). Psychological and social ramifications of battering. In: Observations leading to a counseling methodology for victims of domestic violence in W. P. Anderson (editor),** Innovative Counseling: A Handbook of Readings. **(Pp.149-154). U.S.A.: American Association for Counseling and Development.**

59. **Willson, P. C. (2000). Extent of violence and danger of homicide before and after abused women seek help. Dissertation Abstracts DAI-B 60/09, p.4526, March.**

60. **Wolpe, L. (1982). The practice of behavior therapy. Pergamon Press, Inc.**

Printed in the United States
By Bookmasters